奥尔号
战神联盟

⑰战神绝境

绯然 著

QUANTUM
HEROES

浙江少年儿童出版社

QUANTUM
HEROES

（人物介绍）
CHARACTERS INTRODUCTION

盖亚
GAIYA

　　盖亚被迫参加三年一次的"战神祭"，但他坚持信念，不愿意接受毫无理由的杀戮和战斗。为了活下去，盖亚只能努力地寻找机会脱离"战神祭"。

加西
JIAXI

　　生活在贝加塔星的土著精灵。"战神祭"给贝加塔星带来了毁灭性的灾难，也使得这些土著精灵居无定所，时刻面临着生命危险。

斯维拉
SIWEILA

　　贝加塔星最后的高级精灵。为了延续母星的希望，以自己的灵魂为代价，留下了"生命的种子"。

奥萝拉
AOLUOLA

　　作为赫伦大帝的得力干将，奥萝拉杀伐果断、冷漠无情，只是当脸颊上的疤痕隐隐作痛时，总有一些温暖的回忆片段在她脑海中闪过，让她痛苦不已。

勇敢的战神联盟啊，

用你们的勇气与生命，

粉碎宇宙中的一切阴谋诡计，

以维护浩瀚宇宙的和平与安宁！

因为你们，

就是宇宙中最强大的保护神！

《赛尔号 战神联盟》题记
QUANTUM HEROES

⑰ 战神绝境

Let's begin!

楔子

　　这是一个地下基地，岩壁的苔藓散发着昏暗的光芒，阴冷而又绝望。

　　基地内一片静寂，只有些许的呼吸声表明了这里还有精灵存在。

　　终于，一个清亮的声音打破了沉寂，声音中满含着决绝："我已经决定了！你们听我的！"说话的是一个外形肖似骏马、通体如翡翠般明亮的高级精灵斯维拉。

　　除了他之外，这里还有十几个弱小的初级精灵。

　　"可是……斯维拉，这么一来，你会……"小精灵艾诺双眼

含泪，"你会魂飞魄散的……这比死亡还要痛苦！"

小精灵姆姆也跟着说道："是啊是啊！斯维拉，也许我们还有别的办法，也许战神祭……"

其他的小精灵也接二连三地开口，试图劝说斯维拉放弃这个念头。

"几百年了，我们从来都没有放弃，可是结果呢……"斯维拉凄然道，"为了贝加塔星，已经有无数的勇士付出了生命，现在轮到我了。我必须要守护住这两颗希望的种子。只有这样，哪怕我们都死了，贝加塔星也不会灭亡，总有一天，它会再度繁荣昌盛……"

小精灵们不再说话，空旷的地下基地里时不时地传来低低的抽泣声。

贝加塔星曾经是一颗美丽安宁的星球，精灵们在这里过着简单而又快乐的生活，直到有一天，一切都变了。精灵们再也无法回到往昔的生活，只能苟延残喘，挣扎求存。

他们不断地反抗着、斗争着，换来的却是一次次的失败。

终于，整个星球只剩下十几个精灵，然而，灾难并没有结束。

"我愿意燃烧我的灵魂，守护贝加塔星最后的希望……"

斯维拉闭上眼睛,口中轻声念着这句话,同时,环绕在他周身的几颗晶石散放出耀眼的光芒。斯维拉痛苦地颤抖着,他的身上冷汗淋漓,汗毛直竖。

只见一个虚影从斯维拉的身体里慢慢浮现了出来,这是斯维拉的灵魂。

他主动放弃生命,为的是能让灵魂长时间留存在世间,守护贝加塔星的种子。

而斯维拉的躯壳将孤独地一点点腐烂,最终变成一具骸骨。

小精灵们不停地哭泣着,发出轻轻的呜咽声。

就在这时,姆姆后背的皮肤突然干瘪开裂,一条如同藤蔓一般的东西从他的身体里蹿了出来,以迅雷不及掩耳之势击向了离他最近的同伴……

QUANTUM HEROES

欢迎来到战神祭

HUAN　YING　LAI　DAO　ZHAN　SHEN　JI

盖亚抬起右臂，只见在他小臂靠近手掌的皮肤里镶嵌着一块芯片一样的东西，上面赫然出现了一个鲜艳的数字：100。

第一章

"这里是……"

盖亚睁开眼睛，望着头顶的蓝天白云，脸上泛起了一丝疑惑。

他坐起身，心中细细回想着，隐约记得自己应该是和雷伊一起在赫尔卡星修炼，然后……盖亚轻敲了几下自己的额头，他的记忆仿佛被什么东西切断了一样，完全想不起之后发生的事。

翠绿的植被、高耸的山丘、清澈的河水……这里绝对不是赫尔卡星。

这是哪儿呢？

盖亚想不明白，索性也不再去想，他确认了一下自己身上没有受伤，能量也还算充足，便拍拍尘土站了起来，纵身一跃，冲上云霄。

他的速度极快，眨眼间就已经接近大气层。突然，一股看不见的力量阻挡住了他。盖亚不以为然，将斗气迅速地聚集在双掌之间，猛地向前一推，一颗能量球如闪电般脱掌而出。

但是紧接着,那颗硕大的能量球在盖亚的眼前消失了,似乎与空气融为了一体。

"咦?"

盖亚神色微动,飞快地击出数掌,从掌间蜂拥而出的浓郁斗气,搅得空气中发出了阵阵爆裂的声响。然而,就在斗气即将接近那股看不见的能量时,它又无声无息地消失了。

盖亚轻哼一声,试图再一次聚力,但一股莫名的不安涌上心头——这是一种战斗直觉,这种直觉似乎在告诉他,若是强行突破,可能会遇到危险,而且是累及生命的危险。

盖亚想了想,放弃继续攻击,回到了地面。

又不是非得马上离开不可,暂时没有必要用生命去搏。

只是……

盖亚仰头望向天空,温暖的清风拂面而来,他喃喃自语道:"这里到底是哪儿呢?奇怪……"可是怎么看都没有什么新发现,盖亚只能无奈地收回目光。突然,他那如红宝石一般的双眸中泛起了一丝惊异:"这是什么?!"

盖亚抬起右臂,只见在他小臂靠近手掌的皮肤里镶嵌着一块芯片一样的东西,上面赫然出现了一个鲜艳的数字:100。

盖亚试着用手剥了剥,这芯片仿佛与皮肤融为一体,根本

无法剥离！

　　陌生的星球、被截断的记忆、天空中的能量屏障，还有……手上的数字。

　　这究竟是怎么回事？

　　思绪仿佛一团乱麻，怎么也理不清，那段失去的记忆让这一切都成了悬念。

　　盖亚轻呼了一口气，他并不是忧思颇多的精灵，既然想不明白，那就干脆不要想，因为有一点是肯定的：他会出现在这里，不可能是毫无缘由的，没过多久真相一定会自动呈现！

　　盖亚打算先在附近转转，了解一下这颗星球上到底隐藏着什么秘密。这一定不是颗普通的星球，否则怎么可能设置这样一层让人无法突破的能量罩呢……

　　盖亚一边思考一边往前走，过了一会儿，像是突然想到了什么，他停下脚步，略带疑惑地环顾四周。

　　是他的错觉吗？

　　四周也太过安静了，就仿佛除了他以外，没有别的生命。

　　一颗有生命的星球上，往往生活着数以百万计的精灵，可是，他已经走了很久了，却连一个精灵的影子都没有看到，这似乎有些不太对劲。

尽管只是初来乍到，但是这颗星球在盖亚眼中植被茂密、气温适宜、水源充沛，绝对不是一颗死星。

可为什么那么安静？

事出反常必有妖！

盖亚不敢有丝毫大意，一边继续前进，一边谨慎地留意着周围的动静。

嗖！

正在这时，身后的树梢突然一动，盖亚下意识地转身望去，就看到一个身影正以极快的速度向自己扑来，眨眼就到了跟前。

这是一个兽形精灵，体形健壮，头上长有两只粗壮的弯角，威风凛凛。

盖亚感觉到一股浓重的杀意，他飞快地向后退，口中不忘和对方寒暄："你好，我是……"

回应他的是一声咆哮，兽形精灵凶狠地冲向盖亚。

盖亚微微一诧，闪身躲开攻击，不解地嚷道："喂，你突然攻击我，总得有理由吧？"

兽形精灵一跃而起，尖锐的爪子凌空一挥，几道风刃呼啸而至。

　　盖亚闪身躲开，可没想到风刃突然爆裂，强烈的气浪把他猛地掀飞了出去。

　　砰！

　　盖亚在撞断了一棵树后，才稳住身形。他擦了擦嘴角的鲜血，目光凝重地望着面前的敌人——这竟然是一只罕见的风火双系精灵。

　　"我是无意间来到这颗星球的，对这里的精灵没有丝毫的恶意，我可不是你的敌……"

　　盖亚本想解释一番，毕竟，自己是一个外来者，他并不想和这里的土著精灵发生什么误会，可是……

　　面对来势汹汹的攻击，盖亚脸色一黑，既然这个家伙不肯坐下来好好说话，那就打到他趴下为止！

　　盖亚的身上斗气涌动，他一跃而起，大喝道："气合斩！"

　　斗气渐渐凝聚在手心，他猛地一挥，黑色的斗气犹如一把大刀，朝那个兽形精灵斩去。兽形精灵的双爪凌空划下，数道风刃瞬间迎了上来。

　　盖亚目不转睛地直视着前方，他身体前倾，扎扎实实地挥出一拳，锐利的拳头瞬间击溃了风刃，而他的斗气已然向着兽形精灵的脑袋斩了下去。

兽形精灵飞快后退,但还是晚了一步,一条血痕赫然出现在了他的额头上。

盖亚奔至他的面前,一脚踹向他的腹部,把他踩在脚下。

"你为什么攻击我?"盖亚疑惑不解,因为他能够明显感觉到这个精灵对自己充满了杀意,毫无来由的杀意!

"嗷!"

兽形精灵发出一声野兽般的嘶号,如同发了疯一般挣脱盖亚的踩踏,又向他猛地扑了过去。这出其不意的袭击有些出乎盖亚的意料,一时不慎他被扑倒在地。兽形精灵凶狠地咬向盖亚的脖子。

盖亚把头偏向一边,手臂前伸,用尽全身的力气把他推开……

砰!

就在这个时候,伴随着一声突如其来的巨响,一道锋利的剑芒轰然而至,击中了兽形精灵的后背,又贯穿而出,落在盖亚的胸口上。

盖亚口吐鲜血,向着剑芒袭来的方向望去。

他可不相信那个精灵是特意来救他的,倒像是想把他一并解决!

此时，更让盖亚惊异的一幕发生了，只见那个全身被鲜血染红的兽形精灵越来越淡，眨眼间化作光点，没入了不远处的树林中。紧接着，一个穿着红色战甲的人形精灵走了出来，他面无表情地望着盖亚，身上涌动着杀意，毫不迟疑地挥起手上的重剑，向盖亚发起了猛烈的攻击。重伤之下的盖亚根本无法抵挡，他下意识地抬起手臂挡在面前，紧接着，一股巨大的冲击力将他向后掀了出去。

盖亚在半空中努力稳住身形，向着相反的方向奔去。

原来，盖亚是故意挨上这一击，并利用冲力让自己离开那个精灵的攻击范围。他现在受了重伤，根本不适合再继续战斗。盖亚把速度提升到最快，穿梭在树林间，好不容易才摆脱了身后的追击。

盖亚喘了一口气，无力地坐倒在地上。他的胸口传来阵阵闷痛，只能靠拼命的喘气来减缓痛苦，过了许久，他才慢慢平复下来。

这颗星球太古怪了。

这颗星球上的精灵更是……盖亚的脑海里不禁回忆起那个兽形精灵化作光点消散的一幕。

精灵死亡后，尸体竟然就这样消散了，这样的场景，见所未见!

莫非后来出现的那个精灵,用了某种特殊的技能不成?

"真是颗讨厌的星球!"盖亚轻喷一声,慢慢运用能量治愈着重创的身体。

这样落荒而逃,实在让盖亚有些不甘心。只是,在没有弄明白周围的情况之前,实在不宜轻举妄动。

盖亚闭上了眼睛,双手不禁握紧了拳头。

在原地坐了一会儿后,盖亚的伤势有所缓和。他站起身,刚要行动,耳边突然传来一声细微的响动。声音越来越近,但听得出来,来者相当谨慎,如果不是因为盖亚警觉,或许会以为只是风声。

有了刚刚的经验,盖亚更加小心,他微微一点足尖,跃到了树梢上。茂密的枝叶挡住了他的身形,盖亚收敛气息,向声音传来的方向望了过去。

是那个人形精灵!

他追了过来!

他走到了盖亚原先休息的地方,观察着四周。只听他自言自语道:"刚刚还在这里的……"

盖亚屏气凝神,没有发出一点儿声响。

人形精灵在附近找了一圈,有些失望地轻呼了一口气。

人形精灵抬起手,看向自己的手臂,盖亚赫然发现他的手臂上同样有一块芯片,上面的数字是 061。

盖亚下意识地抬起了自己的手臂,看着那个数字,心想:这到底是什么东西?

"可恶,被他给逃走了……"人形精灵放下手臂,喃喃自语道,"……战神祭……我不会认输的!"

战神祭?

这是什么?盖亚眯了眯眼睛,心中泛起了一丝疑惑。

正想着,那个人形精灵仿佛突然注意到了什么,一抬头,目光直射在盖亚所隐藏的树梢上。

糟糕,被发现了!果然,人形精灵扬手挥剑,无数的细小剑光铺天盖地地向他袭来。盖亚并没有防守类的攻击技能,他一个后空翻跃起,双脚与剑光擦过,随之而来的是一阵钻心的疼痛。

盖亚如红宝石一般的眼睛里,折射出迫人的光华。

"破元闪!"

盖亚大喝一声,双掌间闪过一道光,如同夏季的烈日般刺眼夺目。人形精灵下意识地回避了目光,趁着这个机会,盖亚

飞身跃起来到他面前,以迅雷不及掩耳之势狠狠挥出一拳。

淆杂着斗气的拳头击中了人形精灵的胸口,紧接着,便是第二拳、第三拳。

盖亚的拳头快若闪电,在短短的一秒钟内就挥出了几十拳。

"唔……"

在这猛烈的攻势下,人形精灵发出一声闷哼,紧接着,就见盖亚高高跃起,夹带着浓厚斗气的重拳自上而下,挥向人形精灵的面庞。

人形精灵飞了出去,重重地落在了地上。

盖亚跃到他的身前,抬手卡住他的脖子,目光紧紧地注视着他。

"咳咳!"

人形精灵痛苦地闷哼几声,眼神中流露出了浓浓的绝望。

盖亚直视着他,喝问道:"你是谁?为什么要攻击我?"

人形精灵冷笑一声,吃力地说道:"落在……你的手里……想杀就杀吧……没必要装出这副道貌岸然的样子……"

盖亚微微一愣,不由得问道:"如果不是你主动攻击我,又

怎么会落到我手里?只要你老老实实地回答我的问题,我就不杀你!"

　　人形精灵眯起了眼睛,似乎在思索着什么,他的目光落到了盖亚左臂的那块芯片上,脸上露出了一丝诡异的笑容,但笑容稍纵即逝。

　　人形精灵吃力地咳了两声,似笑非笑道:"原来你是新来的,难怪……"

　　"新来的?"盖亚不禁问道,"什么意思?"

　　"意思就是……"人形精灵停顿了一下说道,"你先放开我。"

　　盖亚想了想,松了手,他将拳头置于身侧,随时准备发起攻击。人形精灵用力喘了两口气后,费力地坐了起来,自我介绍道:"菜鸟,欢迎来到战神祭。我叫洛基……"

QUANTUM
HEROES
★★★

CHAPTER 02

生存游戏

SHENG CUN YOU XI

盖亚的眼睛里迸发出了信念的光芒，他深深地吸了一口气，
一跃而起，如同一支离弦的利箭，直冲云霄。

第三章

"战神祭?"

盖亚面带疑惑地重复了一遍这个词,又问道:"那是什么?"

洛基指了指盖亚的脑袋,似笑非笑地说道:"你不妨好好想一想,菜鸟。很多的答案,都已经在你的脑子里了。"

盖亚有些莫名其妙,但还是闭上了眼睛,默默思索。紧接着,无数的信息如潮水一般涌了上来,他的大脑不禁"嗡"的一声,一阵闷痛。

盖亚睁开眼睛,眼神中充满了震惊。

洛基嘲讽地望着他:"这下你明白了吧。"

盖亚默默地点了点头。

是的,他明白了。明白了战神祭的目的,也明白了这些精灵为什么会攻击他。

这根本就是一场游戏,一场只能用鲜血来画上句号的死亡游戏!

战神祭每三年举行一次,它的主战场就在这颗名为贝加塔的星球上。在这里，没有任何土著精灵生存，有的只是参加战神祭的祭品。战神祭的祭品都是来自各个不同星系的精灵，这些精灵单凭实力在各自的星系里都是至高无上的王者，可是，即便他们如此强大，却都被一种不知名的力量强行带到了这里。

所有的祭品将会在贝加塔星进行一场残酷的厮杀，只有最终排名前十的精灵才会被允许走上战神祭的祭台，而失败者只有死亡一种结局……

谁也无法改变这一切。

盖亚看向手臂，这上面的数字代表的正是自己当前的排名。

"是谁？"盖亚握紧了拳头，隐忍着怒火问道，"是谁把我们带到这里来的？那个幕后主使人到底是谁？"

"不知道。"洛基摊了摊手道，"说不定是神。"

能够神不知鬼不觉地把各个星系的王者精灵带到这里，又在他们的脑中植入这样一段信息，这绝非是寻常的力量能够做到的，这种力量甚至远远超过了盖亚的认知范围。

"神？"盖亚冷笑道，"开什么玩笑！把我们强行带到这里，为了玩一场无聊的游戏……就算真是神，我也不会放过它。"

"菜鸟，冷静些吧。"洛基不以为然地说道，"既然已经到了

这一步,除了活着登上战神祭的祭台外,我们别无选择。"

熊熊怒火在盖亚的心中升腾而起,他咬牙切齿地说道:"我不会参加这个可恶的游戏,谁也别想摆布我!"

洛基看着他,认真地说道:"你看到你手上的芯片数字了吗?整个战神祭并不只有你我而已。100个精灵,能存活到最后的只有10个。就算你不愿意去战斗,其他精灵也不会放过你。"

盖亚抬眼,与洛基目光相对片刻后,开口道:"你也说了,在这战神祭上,我们彼此之间是死敌,如果我真想加入这个游戏,第一个要杀的就是你。既然这样,你为什么还要劝我别放弃呢?"

"你说错了。"洛基摆摆手,"战神祭上的精灵,除了互为死敌外,还能有另外一种关系,那就是盟友。"

盖亚微微一怔,重复道:"盟友?"

洛基微微颔首:"你能打败我,这表示你很强。我在这里也有一阵子了,对于这个星球的环境和这个游戏的规则比你熟悉得多,不如我们合作吧。"

盖亚垂眸,似乎是在思考这个建议的可行性。

洛基认真地说:"只要能够进入前十名就能活着站上战神祭的祭台,所以,我们两人合作并不会产生利益冲突,反而能

够更快地达成目标。据我所知,在战神祭上,结盟的精灵并不少,单枪匹马反而不容易活下去。"

盖亚不置可否,问道:"为什么找我结盟?"

洛基又咳了两声,擦了擦嘴边还没有凝固的鲜血:"为了活下去。距离战神祭开赛的最后期限越来越近,现在贸然去找陌生的精灵结盟根本就是送死,但凭我个人的实力,并没有把握挤进前十,所以结盟是必需的。正好遇到了你,反正你也没有盟友,干脆跟我一起吧。我们只需要用各自的芯片定下盟约,这样一来,在战神祭结束前便可以强强联合。怎么样,菜鸟?这对你来说绝对不亏!"

盖亚低头思索了一下,开口道:"你说得没错。结盟是活下来的必要手段……"

洛基面露欣喜,但还没来得及说话,就听盖亚斩钉截铁地说道:"但我不会跟你结盟的!"

"为什么?"

盖亚咬牙切齿地说道:"我刚刚已经说过,我不会参加这个可恶的游戏!所以,我没有和你结盟的必要!"

盖亚崇尚战斗,但他绝对不喜欢这种莫名其妙、毫无理由的战斗和厮杀!

要是他也为了活下去肆意杀害别的精灵，那和他最讨厌的那些破坏宇宙秩序的浑蛋又有什么区别？简直就是玷污了"战神联盟"之名！

他绝对不会参与这场无聊的厮杀！

"你考虑清楚了？"

盖亚肯定地点了点头。

洛基冷哼一声，嗤之以鼻道："天真！"

盖亚没有理会他的冷嘲热讽，转身说道："你走吧。"

洛基觉得他实在固执得不可理喻，有些气闷地拍拍身上的尘土，站了起来。

洛基手捂胸口，显然伤势很重。他走出几步，想了想，又回过头来说道："你有什么打算？"

"嗯？"

"你说你不想战斗，难道是想等死不成？"洛基冷笑着说道，"菜鸟，别抱什么天真的希望了，哪怕你能好运地避开其他精灵的偷袭，最后的结局依然逃不过死亡二字。你想过没有，这个神秘的力量能够轻易地把我们带到这个鬼地方，又能在我们的脑海里植入信息，绝对不可能只是为了开一场玩笑，没有走到前十的精灵一定会死！"

"不一定要通过进前十才能离开这个鬼地方。"盖亚抬头望向天空，毫不迟疑地说道，"只要打碎那道屏障，一样可以离开！"

洛基目瞪口呆地望着他，好一会儿才发出声响："你是认真的？"

"对！"

洛基提高声音："……我觉得你不是疯了，就是傻了！千百年来，参加过战神祭的精灵数不胜数，比你强的更是比比皆是。你以为他们都是心甘情愿地互相厮杀吗？这道屏障本就是为了阻止我们离开而设的，你以为凭你的力量，就能够突破？"

"不试一试，我不甘心！"

洛基盯着他看了一会儿，嘲讽道："算了，祝你好运吧，天真的菜鸟！"说完，他头也不回地向树林深处奔去。

直到脚步声渐渐远去，盖亚才稍稍放下戒备。

哪怕洛基表现出多么强烈想要与自己结盟的意愿，盖亚依然不能完全相信他。

不，或者说，战神祭的规则早就注定了，根本不会存在什么无条件的信任与结盟。

盖亚背靠在树上，任由微风拂过脸颊，无数的疑问在他的

心头盘旋：

到底是谁把他带到了这里？

到底是谁设计了这个残酷的游戏？

这个幕后主使人的意图到底是什么？难不成仅仅只是为了看精灵们自相残杀，用来取乐？

盖亚用力甩甩头，越想他就越憋屈，心情郁闷得仿佛随时都会窒息。

还是只有一条路可以走……

盖亚叹了口气，他心知自己的选择很有可能是死路一条，但就算如此，他也不要落得被人任意摆布的境地！

"我可是盖亚啊！"

盖亚的眼睛里迸发出了信念的光芒，他深深地吸了一口气，一跃而起，如同一支离弦的利箭，直冲云霄。

盖亚鼓动斗气，集中起全身的力量。

能不能打破那道看不见的屏障，机会只有一次！

"不灭斗气！"

随着一声高喝，愈发浓郁的斗气在盖亚的身上升腾而起，庞大威压毫无保留地释放而出。

盖亚在心中默默估算着那道屏障与自己的距离，近了，近

了，越来越近……

"石破天惊！"

斗气在盖亚的双掌之间聚拢，一团光团渐渐成形，好像气球一样不断膨胀。光团的表面无数的能量流剧烈流动着，散发出强大而又恐怖的气息。

盖亚的双掌猛地向前一推，光团瞬间脱手而出，就如同一颗逆行的陨石，摩擦着空气发出"嗞嗞"作响的声音。这是何等恐怖的力量，仿佛能够轻易毁灭一颗星球！

轰！

隆隆巨响震耳欲聋，毁天灭地的气息笼罩在整个天际。

天空中，那道透明的屏障悄然泛起了一丝波澜，慢慢地一道缝隙显露了出来。盖亚见状，心中不禁一喜，快步向着缝隙冲去。然而就在一瞬间，刺眼的光团一闪而过，光团以肉眼可见的速度被慢慢吸收，而那道缝隙眨眼间已经完全合拢。

盖亚大惊，他下意识感到了不妙，身体的本能让他立刻掉头就走。

砰！砰！砰！

天空中，数十道能量光束雷电般纷纷落下，密集得如同一场暴雨。

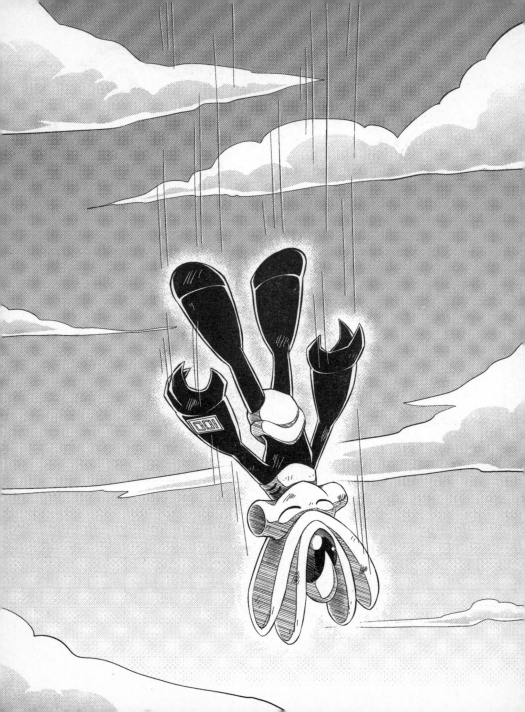

盖亚的全身都被笼罩在这场能量骤雨之下，一道道能量光束毫不留情贯穿他的身体。

"啊——"

盖亚发出一声惨叫，身体不受控制地向下急坠。

茂密的树林也阻挡不住他下坠的速度，在连续撞击了无数的枝叶后，盖亚"砰"的一声，重重地落在了地上。

天空中，闪动着一团光芒，光芒很快聚拢成了一道硕大的光柱，轰然落下，穿透了盖亚的胸口。

盖亚发出一声闷哼，他的皮肤一片焦黑，全身伤痕累累，尤其是胸口那碗大的黑洞更是触目惊心。

失败了……

早在决定拼死一试的时候，盖亚便已将生死抛之脑后，失败并非难以接受，他懊恼的只是无法揪出那个幕后黑手，无法彻底地结束这个可恶的游戏……

盖亚的意识渐渐涣散，他已经无法再坚持下去了。

这时一声轻响稍稍唤醒他的神志。

咦？

什么声音？

不远处有脚步声传来，是精灵？

　　盖亚的嘴角露出了一丝苦笑,没想到,到了最后,他还是成了猎物……

　　如果可以的话,他真的想站着死去,而不是像现在这样无力和狼狈……

QUANTUM
HEROES
★ ★

CHAPTER 03

坚持不屈的骄傲

JIAN CHI BU QU DE JIAO AO

盖亚目光清澈，他不畏死，洛基是他认可的对手，
所以，他宁愿在力战之后，死在洛基的手里。

第三章

"看，那个笨蛋好像还活着！"

一个充满了讥讽的声音在盖亚的耳边响起，可是，盖亚已经没有力气再睁开眼睛。

另一个嘶哑的声音开口道："居然妄想破坏屏障，真不知道该说他是天真，还是傻气。"

"这不是正好嘛，嘿嘿……瑞卡，这个猎物我要了！"

"开什么玩笑，这是我们一起发现的，别想独吞！"

"上次的猎物我已经让给你……"

"让给我？哼！我本不想跟你计较，别以为我不知道上次你是故意让我去送死！"

浓浓的火药味充斥在两个精灵之间，战争仿佛一触即发。他们看着彼此，眼神中闪过一丝隐忍。终于，被称为瑞卡的精灵微不可闻地叹了口气，主动退让了一步："那好吧，他归你了。但是下一个猎物，你必须尽全力和我一起战斗，否则，你我之间的盟约立刻作废。"

瑞卡如同传说中的蛇妖一般，上半身是美艳动人的脸庞，

下半身则拖着长长的蛇尾。在说话的同时，她的蛇尾轻轻地拍打着地面，红色的双眸中透着一丝血光，仿佛随时都会发起攻击。

她的同伴名叫博尔，是一个体形肖似猿猴的精灵，身形健硕。他的体毛是白色的，双足则燃烧着熊熊火焰。博尔认真地思考了一会儿瑞卡的话，应道："好，成交！"

瑞卡退让一步，博尔上前盯着倒在地上无力动弹的盖亚，发出"嘿嘿"的笑声。

只见一团火焰从他的手掌中蹿起，火焰呈青白色，散发着灼热的气息，仿佛连空气都会被烧焦。博尔一挥手，火焰直接掷向了盖亚的头部……

"光烈斩！"

一声暴喝突然响起，紧接着，一道白色剑芒应声而下，落在博尔和瑞卡的身前，把他们逼退了一步。与此同时，一个身影飞奔而至，猛地把盖亚从攻击范围内拉扯了出来。

火焰擦着盖亚的脸颊落下，在他的脸上留下了一块可怕的伤疤。

"谁?!"博尔气急败坏道，"居然敢抢我的猎物！"

来者竟是洛基，他一手把盖亚抄在怀中，另一只手则扬剑

指着博尔,冷笑着说道:"这里可没有什么先来后到,有的只是胜者为王!"

博尔看了一眼瑞卡,气势不减地对着洛基说道:"二对一,你可没什么优势。"

"战斗看的是实力,不是人数。"

"打就打!"

洛基毫不示弱,他一手把盖亚扛在肩上,另一只手将剑握在身前猛地划过一道弧线,剑芒呼啸而出,把博尔和瑞卡全都笼罩在了攻击范围内。

趁着这个机会,洛基扛着盖亚,轻身一跃跳上了树梢,飞快地穿梭在密林中,向远处奔去。

"你这卑鄙的家伙,站住!"

身后传来阵阵愤怒的叫喊,声音渐行渐远,很快就消失在了洛基的耳畔。

洛基奋力奔跑了许久才停下脚步,他静静站立了一会儿,侧耳倾听周围的动静,片刻之后,方轻呼一口气,把盖亚放在了地上。

他站在盖亚身侧,眯眼望着他,似乎心中在做什么抉择。

洛基将拳头紧紧地握了握,又慢慢松开,然后便默默地坐

在了盖亚的身旁。

他仰头望着天空，神色中透着一种莫名的意味，过了许久，他喃喃道："……如果是你……也一样会……"

"唔……"

这时，昏迷的盖亚发出了一阵呻吟，洛基低头看去，就见盖亚已缓缓地睁开了眼睛。

盖亚的眼中一片茫然，过了一会儿好像才想起昏迷前所发生的事情。他看向洛基，启唇道："谢谢你……救了我……"

洛基满不在乎地说："这算是还你的。"

他顿了顿，还是忍不住道："我早就说了，上面的屏障是不可能打破的，你想自杀还不如让我杀了你呢！"

盖亚没有说话，但神色中依然不见后悔之意。

见盖亚一脸决绝，洛基的心中涌起一阵说不上来的烦躁："你现在试也试过了，接下来决定如何？"

盖亚沉默了一会儿，不答反问："你救我，而不是趁机杀我，足以证明你并不是穷凶极恶的精灵。为什么你会愿意被这可恶的规则摆布？"

"不愿意又如何？跟你一样去送死吗？"洛基背靠在树上，"我不想死在这种地方，只有活下去，才有机会回到母星，而一

旦死了，就什么也没有了。"他抬头直视着盖亚的双眼说道："虽然你不想让自己陷于杀戮，但是在这里，你根本不可能独善其身，除非死！"

"真的只有战斗一途吗？"

"对！"

"那么……"盖亚虚弱地站起了身——明明已经重伤到无法站立，但眼神里流露着浓浓的战意，"跟我打上一战吧！"

"啊？"洛基一愣，脱口而出道，"你想死吗？你伤成这样，根本不是我的对手！"

"与其沦为垫脚石，我宁愿堂堂正正地力战而亡！"

盖亚目光清澈，他不畏死，洛基是他认可的对手，所以，他宁愿在力战之后，死在洛基的手里。这是盖亚的坚持，也是他的骄傲，他身为"战神联盟"的骄傲！

"你……"洛基握起拳头，狠狠一拳挥了出去。

盖亚下意识地后退，抬臂挡格，但他全身虚弱无力，被这一记重拳击倒在地。他擦了擦嘴边的鲜血，依然挣扎着站了起来。哪怕是死，他也要站着迎接死亡！

洛基没有乘胜追击，只是微微叹了一口气，眼神中掠过一丝说不上来的意味。

　　他缓步走到盖亚身旁,静静注视他片刻,抬手拍拍他的肩膀,说道:"……你的母星在哪儿?"

　　"我是在帕诺星系的赫尔卡星长大的。"

　　"赫尔卡星?"洛基想了想说道,"没听说过。话说回来,你们那里,有没有很厉害的精灵突然神秘失踪?"

　　盖亚思索了一下,摇摇头道:"应该没有。"

　　"也是……"洛基席地而坐,有些感慨道,"浩瀚宇宙,拥有生命的星球就如同沙尘一样数不胜数,但是每一个星系在某一个时期往往只会诞生一两个王者精灵,他们是宇宙的宠儿,拥有强大的力量和气运,也是这个星系文明是否能够延续的关键。"

　　盖亚不知不觉跟着洛基坐了下来,静心倾听。

　　洛基仿佛自言自语般继续说道:"我是来自诺斯星系的精灵。我们星系,不知从什么时候起,开始盛传有关战神祭的传说。传说中,每一个星系最强大的精灵都会被当作祭品带往战神祭。而且,同一时期,一个星系最多只有一个王者精灵拥有准入资格。一开始,我以为这只是一个传说,直到二十年前,我的好友,同样也是王者精灵的费里没有任何预兆地突然神秘失踪。他是一个相当强大的精灵,可是,却消失得无声无息。我

不禁将他的失踪与战神祭的传说联系在了一起……"

盖亚忍不住问道："既然你们星系已经有精灵被带到这里,难道你是主动参加战神祭的?"

"说不上主动。"洛基没有否认,只是无奈地说道,"我循着一些线索找到了这颗星球,可是,就在我靠近它的时候,却突然晕了过去,等我醒来时,就已经在这里了。"

他顿了顿,苦笑着说道："盖亚,并不是只有你会选择宁死不屈,要知道,很多时候,我们并没有选择的余地。诺斯星系已经失去了费里,如果就连我也无声无息地陨落,那么,我的星系将会因为没有王者精灵的护佑而逐渐步向衰败。所以,我不能死,我必须得活着,活着回去!哪怕因此背负罪孽,也在所不惜!"

洛基的眼中流露出坚定的神情,再没有一丝犹豫。

盖亚默默听着,心中如同波涛汹涌的海水一般起伏不定。

从最初被洛基偷袭并追杀,到不打不相识,最后反而被洛基救了一命。

盖亚心知这个精灵并不像表面看起来那样冷酷无情,只是万万没有想到,他的心中竟然背负着如此重任。

盖亚还能说什么呢,他不可能再去指责洛基为了活下去

而罔顾其他精灵的性命。

　　洛基扭头看向他，淡然说道："盖亚，我不会强求你为了活下来而违背自己的信念，只是，不要这么轻易地放弃自己的生命。"

　　盖亚依然没有说话，放在膝上的双手不知为何轻轻地颤抖着。

　　盖亚默默地垂下眼帘，他的心里有如天人交战一般。他的骄傲让他不愿意向这残酷的规则妥协，然而，在现实面前，似乎所有的坚持都显得苍白无力。

　　阳光洒在盖亚的身上，可是，带来的却只有冰冷刺骨。

　　盖亚长长地叹了一口气，抬起头，声音一如既往地坚定："我知道我这样的坚持可能很傻，但是，我不愿意参加这个游戏！"

　　洛基似乎已经料到了他的回答，又问道："那你想要活下去吗？"

　　盖亚苦笑着说道："如果有机会，我当然想要活着。"

　　"哪怕九死一生？"

　　"是的，哪怕九死一生！"

　　洛基长长地呼了一口气："……我知道，可能有一个办法。

但是,这只是我的猜测,你要试试看吗?"

"什么办法?"

洛基站了起来,说道:"你跟我来。"

QUANTUM HEROES

★★

CHAPTER 04

血色树林

XUE　SE　SHU　LIN

加西发出了刺耳而又诡异的笑声，他的皮肤变得皱巴巴的，
开裂的皮肉里，生长出了许许多多的根须。

第四章

两个精灵在树林中飞快地穿梭,他们小心地留意着周围的动静,尽量避免被隐藏其中的敌人偷袭。

盖亚伤得很重,伤势已严重影响到他的行动力,身体的重创和能量的剧烈流失,让他随时都有可能无法支撑下去。可是,他还是咬牙坚持了下来。

他没有问洛基他们要去哪里,因为对于他来说,也实在没有别的更好的选择了。

直到天色完全暗了下来,在前方领路的洛基才停下脚步,回头对盖亚说:"休息一会儿吧。这里很少会有精灵靠近,应该还算安全。"

盖亚摇摇头,强撑一口气说道:"我没事。"

"还是休息吧。"洛基坚持道,"不然,一会儿说不定就没有休息的机会了。"

"呃?"

"听我的。"

洛基已经自顾自地坐了下来,无奈的盖亚也只能坐下。

这一坐就是一整天，两个精灵谁也没有多说一句话，只是默默地打坐，恢复能量。尽管盖亚并不知道接下来会发生什么，可是，从洛基的样子来看，他似乎早有准备。

等到正午时分，洛基终于站了起来，说道："我们走吧。"

又往前行进了一段路，一大片茂密的树林映入了盖亚的眼中。这树林从树干到枝叶竟都是红色的，风吹动间，就如同波浪起伏的血海，不禁让人感到毛骨悚然。

盖亚情不自禁地打了个冷战，他并不是害怕，只是有种极其强烈的不安萦绕在心头。那片血红色的树林仿佛就是一只张着血盆大口的怪物，正等待着猎物送上门去。

"就是这里了。"洛基扬手指着前方说道，"从这里进去，有一条通往战神祭祭台的小路。三天后，战神祭排名前十的精灵会出现在祭台上。"

盖亚似乎明白了什么但还是不太确定："所以？"

"先说好了，这只是我的猜测，要是失败的话你可别怪我。"

"当然。"盖亚毫不犹豫地回答道，"这对于我来说是一线生机，无论是生是死，我都感激你的帮助。"

"既然祭台就在前面，那么要是有精灵凭借一己之力闯过

这片血色树林,应该也能够获得登上祭台的资格。"

"硬闯吗?"盖亚喃喃自语,他的神色渐渐明朗起来,自信而又自傲地说道,"这正合我意!多谢!"

洛基轻轻叹了口气道:"从来都没有精灵能够成功硬闯祭台,所以,这其中肯定有着不为人知的凶险。总之,祝你好运!我们……战神祭见!"

盖亚抬手与他轻轻一击,头也不回地奔向血色树林。

盖亚能够感觉到洛基正注视着自己,但他没有回头。他知道往前一步是万丈悬崖,但再没有后退的可能。

盖亚小心地往前走着,一路上,并没有发现什么异样。

但他并没有掉以轻心,依然警惕四周的一切,也不知道是不是他的错觉,不知从何时起有一种说不上来的腥臭味渐渐萦绕在他鼻尖。

腥臭味越来越浓,盖亚不禁停下脚步。

这时,盖亚突然听到不远处一阵骚动,他立刻缩回前进的脚步,大声喝道:"谁?"

一个小精灵从树丛中飞奔了出来,他慌张地看了一眼盖亚,拔腿就跑。

咦?

盖亚一怔,从他来到这个星球后,凡是遇到精灵基本都免不了恶战一场,这还是第一次碰到有精灵看到他就跑。而且……这个精灵体形娇小,能量微弱,应该不可能是洛基口中那些参加战神祭的王者精灵吧?莫非……

盖亚的心中兴起了一个念头:莫非这是这个星球的土著精灵?在这个已经沦为战神祭残酷杀场的地方,还生存着普通精灵?想到这里,盖亚的心中涌起了一丝小小的激动,连忙朝着那个小精灵的方向追去。

盖亚的速度何等之快,怎么可能让一个初级精灵逃走。没一会儿盖亚便已经拦在了小精灵的面前,态度温和地说道:"你好,我是盖亚,我……"

"啊啊啊!"

小精灵发出惊叫,掉头想跑,没想到盖亚身形一晃,轻易便将他拦住。眼见自己逃不掉了,小精灵抱头蹲了下来,瑟瑟发抖。

"我不会伤害你的,我……"

"呜呜呜。"小精灵似乎完全没有听清盖亚在说什么,只知道放声大哭。

"你别哭啊!"盖亚性情爽直,最受不了这种婆婆妈妈的行为,他有些头痛地说道,"我没有恶意,也不会伤害你,只是想找你问些事。你别哭啊……"

见小精灵还是哭个不停,盖亚有些无奈了,干脆席地而坐,等他哭完再说。

小精灵还在不停地哭着,突然,盖亚敏锐地感觉到了一阵杀意,他猛地捞起那个小精灵,一跃而起。与此同时,他的脚下蹿出了一根细长的东西,似乎是因为没有偷袭成功,这东西又飞快地缩了回去。

盖亚立在树梢上,脱口而出:"这是什么?"

小精灵颤抖得越来越厉害,盖亚顾不上研究是什么偷袭了自己,拍拍小精灵的脑袋安抚道:"没事的,你很安全。我是盖亚,你呢?"

"我、我叫加西……"

终于肯说话了!盖亚感慨地暗叹一声,又问道:"加西,你是这个星球的精灵吗?"

加西慌张地点头:"是、是的……"

"太好了。"盖亚不禁心生喜意,"你住在哪里?要不要我送你回去?"

"我……"加西犹豫着说道,"我们住在地下……"

"地下？"

"嗯……"

"除了你以外，还有别的精灵？"

加西悲伤地说道："已经不多了。你、你是来参加战神祭的吗？"说到这里，他的眼神里又透出了戒备与恐惧。

盖亚毫不犹豫地说道："我不会参加杀戮的。"

加西怔怔地望着他，清澈的双眸透着纯真。过了一会儿，他释然道："我相信你！"

盖亚松了一口气，与"战神联盟"的其他伙伴不同，他做事喜欢直来直往，很少会耐着性子和别人深入交谈，要是加西再继续哭的话，他可就真没办法了。

盖亚看了一眼四周问道："你知道那是什么吗？"

"赤血枫。"加西打了个冷战说道，"它们对血液十分渴求，是这个星球最可怕的植物。"

"那你们为什么还要在这里生活呢？"

加西惨然道："因为我们无处可去……"

盖亚心中一阵凄然，仿佛能够感觉到加西的悲哀与绝望。他定了定神，继续问道："能不能告诉我，为什么这个星球会沦落到现在这种地步？"

"因为赫伦大帝。"

"赫伦大帝?"盖亚不解地道,"那是谁?"

"是……"

嗖!

加西的话还没有说完,突然就听到一阵破空之声,一根血色树藤以迅雷不及掩耳之势击向盖亚。盖亚闪身躲开,拎上加西飞身跃到了另一棵树上。

"这里不安全。"加西急急说道,"一旦被它们发现,就会被当作猎物,不死不休!"

这些树尽管看起来只是植物,但它们的攻击速度实在太快,而且又十分茂密,一旦陷入交战,恐怕会十分麻烦。盖亚郑重地点点头,拎着加西,踩着树梢,一路飞奔。

"往前走,就在前面。"

加西一路指引着盖亚,在赤血枫时不时地攻击下,行进了约有三百米,停了下来。

加西扬起前肢指向前方,那里竖立着一块巨大的石头,石头上光秃秃的,在这血色树林中显得并不起眼。

盖亚一跃来到石头前,把加西放了下来:"你们就住在这附近?"

　　"是啊。"加西点点头，"石头后面便是我们精灵栖身之地的入口。"

　　盖亚应了一声，绕着石头来到了背面，果然在那里看到了一个黑黢黢的洞穴入口。

　　盖亚心中不由得一阵喜悦，仿佛命运在最黑暗的时刻给他打开了一扇光明之门。

　　"往这里跳下去就行。"加西忙说道，"我们把洞穴挖得很深，很安全！"

　　"好！"

　　盖亚爽快地答应了。

　　加西先行跃下洞口，盖亚也紧跟着跳了下去。

　　光明瞬间消失，黑暗笼罩在眼前，伴随着黑暗而来的还有一种说不上来的腐臭气息。盖亚的心中兴起一丝寒意，一种不祥的预感笼罩心头。心念刚起，盖亚就已经落到了地下，他的周围依然一片黑暗，在没有一丝光线的地底，几乎看不到任何东西。

　　"加西。"

　　回答他的是一片静默。

　　盖亚微微一怔，提高声音又喊道："加西……加西！"

他能够感觉到四周十分空旷，以至于带起了阵阵回声，然而依然没有得到任何回应。

嗖——

破空之声响起，盖亚的手臂一阵刺痛，紧接着便是强烈的束缚感，仿佛有什么东西缠了上来。在这一刻，盖亚竟然清晰地感觉到自己的能量正伴随着血液的流失以极快的速度消逝。

盖亚的身体一阵冰冷，浓烈的杀意从四面八方向他挤压了过来。

"破元闪！"

盖亚高喝一声，双掌之间迸发出巨大的能量，闪烁的光芒瞬间照亮了四周。这里的空间不大，不远处有一条甬道，不知通向何方。不等他多想，盖亚就被自己的处境吓了一跳，只见无数细长的根须向他伸了过来，而其中更有不少已经缠在他的手臂上。在这些根须上面生长着许许多多细小的倒刺，倒刺生生地刺入了他的皮肤，正不断地吞食着他的血液。

光芒很快消散，但好在盖亚的眼睛已经习惯了黑暗，隐约能够看清周围的一切。

盖亚冷静了下来，他早该料到这里步步危机，不能掉以轻心。可惜……不知道加西怎么样了,无论如何得尽快找到他!

盖亚不顾一切地扯掉了绑缚在自己身上的根须,飞快地躲开了密集的攻击区域。

"合气斩!"

浑厚的斗气化作一道道回形利刃,把密集的根须全数斩尽。

直到周围再也没有根须袭来,盖亚才微松了一口气,呼唤道:"加西,你在哪里?加西!"

四周没有任何声响。

加西是不是遭到不测了?盖亚不禁这样想着。刚刚的险情就连他都用尽全力才勉强抵挡住,更不用说只是初级精灵的加西。自己到底没能保护好他……

"盖、盖亚……"

这时,盖亚的身后突然传来一声微弱但又带着怯意的呼喊。

盖亚不由得一阵惊喜,赶紧循声望去,只见加西正站在不远处望着自己。

"加西,你没事吧?"

加西摇摇头:"我没事……刚刚这里正好有块石头挡住了

我。只是、只是……"他说着说着,哽咽了起来,"我出来的时候大家都还好好的……"

"说不定他们已经逃出去了。"话虽这么说,但盖亚却对此也不抱任何希望。

盖亚走过去,在他面前蹲了下来,抬手摸摸他的脑袋说道:"我……"

加西的脸上露出了狰狞的笑容,无数的根须从他的身体蹿了出来,瞬间便纠缠在了盖亚的手臂和身体上。

盖亚一声轻呼,下意识地纵身向后跃去,但发现已经来不及了,越来越多的根须攀上了他的身体。这一刻,盖亚就如同落入了蜘蛛网中的猎物,被牢牢束缚,动弹不得。

"加西?"

盖亚难以置信,他万万没有想到,自己居然中了圈套。

"咯咯咯!"

加西发出了刺耳而又诡异的笑声,他的皮肤变得皱巴巴的,开裂的皮肉里,生长出了许许多多的根须。他的双眼毫无生气,全身上下透着死一般的灰白。

盖亚猛地明白了什么,加西并不是背叛了自己,而是很早之前,便已经死了……

一丝悲凉在盖亚的心中涌起，眼前的景象把他心中仅存的希望摧毁得一干二净！

QUANTUM HEROES

★★★

CHAPTER 05

沉沦的贝加塔星

CHEN LUN DE BEI JIA TA XING

那一刻,盖亚已然不知道什么是真实,什么是幻觉,
他只知道眼前所见到的全都是敌人!

第五章

嗖嗖！越来越多的细长根须趁着盖亚被绑缚的机会向他席卷而来。

眼看着盖亚就要被这些根须彻底缠绕难以翻身，他深深地吸了口气，一扫满脸的哀伤，取而代之的是坚毅无比的眼神。

"我不会死在这里的……一定不会！"

盖亚喃喃自语，与此同时，更加浑厚的斗气自他体内升腾而起，如狂风暴雨般向四周席卷。向他袭来的根须一触碰到斗气，立马缩了回去。

"滚开！"

盖亚一声暴喝，气势陡然又涨了几分，一股劲气击向面前的加西，一下子就把他掀翻在地。紧接着，缠绕在盖亚身上的根须瞬间断开，落在地上。

盖亚站在原地，脸上平静无波，丝毫不见战斗胜利的欣喜。

盖亚大步走近倒在地上、毫无生气的加西，只见加西的皮肤皱巴巴的，呈灰白色，他的身体成了这些可怕植物的巢穴，而血肉则是它们的养分。

盖亚微微叹了口气，他从来不知道自己也会有这样优柔寡断的一面。

"唔……"

加西发出了微不可闻的呻吟，盖亚一怔，下意识地往后退了两步，警惕地看着他。

"对……不起……"

咦？

盖亚试探地喊了一声："加西？"

"……对不起……"

"加西！"

加西再也没有发出任何声音，沉沉地闭上了眼睛，而那些原本还在张牙舞爪的根须也随着他的死亡瞬间枯萎。

盖亚的心沉甸甸的，他沉默地在原地站了一会儿，绕过加西，从前方的一条甬道走了过去。

甬道很长，虽然黑暗但并不窒闷，盖亚小心留意着四周的动静，走了一会儿，前方透出了一丝微弱的光芒。没过多久，盖亚就来到了一块比刚刚大了数倍的空地上。

空地四周的岩壁上，有一些薄薄的苔藓，它们正散发着微弱的光芒。

许多精灵的枯骨散落一地，与尘土混为一体，透着一种难以言喻的苍凉。

这些精灵在死前该是多么绝望啊！

加西并没有骗他，这里确实生活着不少精灵，但这只是"曾经"。这个避难地已经不复存在了。

盖亚强压下心中的悲伤，正要继续往前走，脚踝处突然一阵刺痛。他连忙低头，就看到一颗紫色的菱形物体正往自己的身体里钻。

想到加西和这些枯骨，盖亚不禁一惊，赶紧用手把这东西扯了出来。这，竟然是一颗种子！

盖亚用力把种子捏碎，一股浓重的腥臭立刻弥漫了开来。

盖亚嫌弃地甩甩手，看来，这些精灵的覆灭应该和这颗种子有关。

他更加警惕地留意脚边的动响，在又踩碎了几颗奇怪的种子后，他来到了空地的中央。那里，横陈着一具体形较为庞大的精灵骸骨，骸骨的旁边有一颗暗紫色的水晶，这水晶死气沉沉，表面看不到流动的光华。只是，在这个地方，躺着这样一块水晶，略显突兀。

盖亚小心地将手触到水晶表面，就在那一瞬间，他的大脑

一片空白，并开始剧烈疼痛。盖亚不禁缩回了手，他用力喘着气，过了许久，痛楚才慢慢平复。

盖亚用手抚着额头，低头看着掌心中那颗已经四分五裂的水晶。

这水晶看似不起眼，却是一个奇特的容器，保存了一个精灵在临终前所留下的关于这颗神秘星球不为人知的秘密：

贝加塔星在成为战神祭的战场之前，是一颗宁静而又美丽的星球，精灵们在这里平静地生活着。

大约几百年前，贝加塔星上毫无预兆地出现了一座雄伟的祭台，一百位实力强大的王者精灵从各个星系被召唤到此，他们被要求自相残杀，只有登上祭台的十位精灵才有资格活下来。

对居住在这颗星球的土著精灵来说，从那一天起，他们的生活仿佛坠入了地狱。战神祭每三年举行一次，王者精灵们之间激烈的厮杀使得越来越多的小精灵失去了家园，甚至无辜丧命……

仇恨在这些小精灵们的心底积压了九年后终于爆发，贝加塔星的土著精灵们自发地聚集在一起，发起了第一次反抗，和那些王者精灵们展开了一场生死战斗。

　　尽管参加战神祭的都是各个星系最强大的精灵，但土著精灵们却胜在对自己的家园十分熟悉。这场战斗持续了整整十天，虽然几乎所有的高级精灵和中级精灵都在战斗中牺牲，但最终土著精灵们获得了胜利。

　　幸存下来的精灵为这些英雄筑起了一座高高的石碑。

　　精灵们渴望新的生活，可惜命运却并没有放过他们。

　　三年之后，战神祭再一次如期开赛，新的一批王者精灵又来到了祭台上……刚刚看到希望的土著精灵们又一次陷入了困境之中。

　　在上一次大战中幸存下来的精灵，已经无力再与这些王者精灵们抗争，但是他们依然坚守着守护母星的信念。他们没有再硬碰硬地对抗王者精灵，而是把目标瞄准了一切灾难的根源——那座战神祭的祭台。

　　精灵们前仆后继地奉献出了自己的生命，终于将祭台彻底摧毁！

　　那一年的战神祭不得不终止比赛，但贝加塔星上的精灵们也付出了惨重的代价，只余下了不到原来的万分之一，他们混居在一起，为了生存而共同努力。只是，冥冥中仿佛恶魔撒下了种子，那些种子在精灵们毫无防备的时候，钻入了他们的体内，

以他们的血肉为食,直到生根发芽,又破体而出……真正毁灭性的灾难才刚刚到来!

种子在侵入精灵们体内的初期,并不会给他们带来任何不适感。但随着种子日益长大,精灵们会慢慢失去神智,种子可以肆意吞食着精灵们的血肉,然后长成一种有着血红色枝叶的大树。渐渐地,大树越来越多,原来精灵聚居的地方变成了一大片茂密的血色树林,在树林的中央,又一座更加雄伟的祭坛拔地而起……

了解了贝加塔星的过往后盖亚的心情十分沉重,这颗原本安宁美丽的星球就这样毁在了"战神祭"上,精灵们拼尽了全力也没能护住自己的母星。

杀戮依然存在,死亡依然存在,黑暗依然存在,唯有光明与希望却是那样遥不可及。

我们103个精灵,从此躲藏在地底,只想要避开战神祭的杀戮,然而,还是没能躲过。

我,斯维拉,贝加塔星仅存的高级精灵,只恨无法保护自己的母星,唯有在生命的最后时刻为母星留下一颗代表希望

的种子……

　　这是斯维拉留下的最后一句话,盖亚思前想后,也不明白这到底是什么意思。

　　希望的种子到底是什么呢?

　　对于一颗星球来说,高等精灵是其繁荣昌盛的希望,可是,贝加塔星的精灵们都已陨落,他们到底还留下了什么?

　　盖亚想得有些头痛,但还是没有想出结果,只能暂时先把这件事情放下。

　　他环视四周,想到斯维拉留下的信息和自己亲身经历的一切,脑海里不由得浮现出悲壮的一幕:精灵们在残酷的环境中一一死去,侥幸生存下来的一百多个精灵,躲藏在不见天日的地底,然而,命运并没有就此放过他们。或许是意外,或许是阴谋,总之,恶魔的种子还是夺去了他们所有精灵的生命……

　　盖亚轻叹了一口气,心里如同压着一块沉甸甸的巨石,窒闷难当。

　　盖亚向四周张望了一圈后,并没有发现任何值得加以研究的东西,只能暂时放弃搜寻,沿原路回到了地面。

　　血红色的树林笼罩着大地,天空显得阴沉沉的,穿梭在树

丛之中的盖亚更是觉得空气中都透着难耐的血腥和阴冷。

"真是个讨厌的地方……"

盖亚喃喃自语,脚下的步伐又加快了许多。他必须尽快赶到那座祭台附近。既然已经走到了这一步,无论如何,他都不能认输!

嗖!

一根根须突然蹿了起来,向盖亚的双脚缠去,紧接着,又有一根根须缠上了他的双手。

幸好盖亚早有准备,他灵活地切断根须,腾空跃起,向前奔去。

盖亚在树林中不住地穿梭着,他的精神无比集中,因此哪怕攻击来得非常密集,他也总能有惊无险地躲闪过去。

就在几乎精疲力竭之时,他的眼前出现了一层朦胧的光幕。

盖亚的心中一喜,这应该就是目的地了!

一路行来,除了那些难缠的植物,并没有遇到其他什么危险的境况。而对于盖亚这个等级的精灵来说,只要足够小心,那些植物并不能伤及他的性命。

所以,真正的危险应该不在树林里!

想到这里,盖亚便不敢有丝毫大意,放慢脚步,缓缓向前

靠近。

不多时,盖亚便来到那层光幕之前,光幕内是一座巨大的祭台,这祭台足有百米多高,上百级白玉阶梯与地面相连。整个祭台呈暗金色,表面附有繁杂的图案,雄伟气势令人不由得心生畏惧。

"就是这里了……"盖亚自言自语道。

事到如今,再没有后退的可能,盖亚缓缓抬起手,试探性地触摸那层光幕。

轰!

就在那一瞬间,盖亚的脑海里侵入了一团黑暗,这黑暗浓郁如实质,其中还夹杂着一丝血光,血光锋利如针,不住地刺激着盖亚的神经。

"啊啊啊!"

盖亚惨叫着,他的大脑好像被利器生生挖开,不住地敲击着,每一下都痛得难以自制。

盖亚拼命保持着最后一丝理智,要把手收回来,可是,光幕紧紧地吸着他的手,根本无法动弹。

可恶!明明已经够小心了,还是……

脑海里,一个个充斥着血色的记忆片段浮现了出来,盖亚

看到了自己在贝加塔星上遇到过的精灵们——从那叫不出名字的兽形精灵到洛基，再到加西，他们一个个被鲜血浸透，面目狰狞。那一刻，盖亚已然不知道什么是真实，什么是幻觉，他只知道眼前所见到的全都是敌人！

杀！杀！杀！

无休止的恶意侵蚀了他全部的理智，想要毁灭一切的意念充斥在他的大脑中。

突然盖亚的脑海里闪过一丝微弱的光芒，他的信念、他的坚持，他不愿意向命运妥协的决绝……他怎么能够在此时认输呢？！

盖亚缓缓地握住了拳头，努力坚守住脑海中的这丝清明。

虽然眼前的血光和狰狞的身影依然存在，但已经影响不了他，这时盖亚忽然感到自己的手正被光幕一点一点吸进去，先是整个手臂，再是整个身体。

下一秒，盖亚的眼前突然一片光亮，他惊讶地发现自己已经到了光幕之内，那座祭台正耸立在不远处。

盖亚仿佛经历了一场大战，有些精疲力竭，但他没有休息，而是一步步小心地走向祭台……这个时候，盖亚并没有注意到，他手臂上那块写有数字的芯片正悄然发生着变化。

QUANTUM HEROES

✮★✮

CHAPTER 06

编号"000"

BIAN HAO "000"

盖亚没有再说话,他的双脚好像吊着万吨巨石,
每往上一步都无比艰难。

第六章

一个星期过去了。

盖亚依然坐在祭台前等待着。祭台的周围笼罩着一层看不见的能量罩，一旦他想要强行破开，就会被一种奇怪的力量击晕，试了几次后，盖亚只能无奈放弃。

尽管无法进入祭台，但盖亚并没有浪费时间，他不知道接下来会遇到什么，只能尽可能地让自己保持最佳状态。

轰隆！

一阵仿若落雷的声音响起，盖亚下意识地抬头望去，只见一道白光在天空闪过。紧接着，随着大地的剧烈震动，笼罩在外围的那层光幕消失了。

放眼望去，是那片一望无际的血色树林。

盖亚站了起来，他意识到，"战神祭"的战斗已经结束了。那些胜利者们应该很快就会来到这里，登上祭台。

洛基不知道会不会来……或许他们还称不上是朋友，但盖亚还是希望见到洛基。

盖亚一直站着，举目远望，不知过了多久，血色森林中终

于出现了一个身影。那是一个龙系精灵，他体格健硕，背后的两对骨翼在阳光下闪烁着迫人的光华。没多久，他便冲出了血色树林，落在了距离盖亚不远的地方。

正如盖亚打量着他一样，他也暗暗打量着盖亚，他的眼神中似乎透着惊讶——竟然有精灵比自己更早一步。

他没有走近盖亚，也没有打招呼的意图，只是站在离盖亚不远的地方，死死盯着盖亚手臂上的那块芯片，脸上的戒备显而易见。

盖亚冲他点头后，便不再理会他，而是目不转睛地注视着血色树林。

陆续有精灵到来，他们各自为营，相互戒备，谁也不和其他精灵多说一句。

终于，盖亚眼睛一亮，脸上不由浮起了一丝笑意，只见一个熟悉的身影正敏捷地躲避着那些吸血植物，向这边飞奔而来。

是洛基。

盖亚不由往前走了一步，很快，洛基便冲出树林，一跃来到了他的跟前。

洛基有些不敢相信地张大了嘴，注视着盖亚，忽然，他哈

哈一笑,拍了拍盖亚的肩膀:"没想到,你这个菜鸟竟然真的做到了!"

盖亚没有躲开,任由洛基的手拍在自己肩上,脸上也露出了笑容。

对于盖亚的毫不设防,洛基倒是有些不自在。见状,盖亚毫不掩饰地说道:"你能活下来,我很高兴。"

洛基一怔,随即说道:"我也是……我没有想到,你真的能闯过来。"

两个精灵尽管相识不久,但在这样残酷的环境下,对方已然成为唯一能够信任的同伴。

"说起来,"盖亚的脸上不禁露出疑惑的神情,"这一路其实也还算顺利……"

"呃?"

洛基警惕地向四周看了一圈,和盖亚退到稍偏一些的地方,继续问道:"你是说不危险?"

"确实……"盖亚点头道,"有遇到一些麻烦,但应该还没到九死一生的地步。"

"你遇到了什么?"洛基话音刚落,就隐隐有些后悔。严格地来说,他和盖亚算是一种合作关系,这种有些私人的问题,

或许不应该多嘴。

盖亚的心思显然简单得多，他毫不在意地说道："也没什么……先是那片树林的吸血植物，你们应该也遇到了，只要小心些并不算什么。然后就到了这里，只不过，我来的时候，外面还有一层血色光幕，在你们的战斗结束后，光幕就消失了。"

对于盖亚的全盘托出，洛基微微有些讶然，但很快便正色道："这么说来，真正的危险应该是那层光幕。"

盖亚回想了一下，说道："也没有想象中险恶……只是遇到了一些奇怪的异象，但只要信念坚定，也没什么可怕的。"

"异象？什么样的异象？"

"就是……"说到这里，盖亚抬头干笑了两声，"就是看到你满身是血，一脸狰狞地攻击我……"

"啊？"

盖亚摸摸头，又道："不只是你啦，是我在贝加塔星上遇到的所有精灵全都在攻击我。话说，那一刻真的挺险的，我觉得自己好像被杀意给吞没了，只想要破坏眼前的一切，撕碎所有的敌人。但最后我还是控制住了自己的理智，然后就穿过了光幕，可惜上不去祭台，只能坐在这里等你们。我已经等了整整一个星期了。"

　　"光幕……杀意……"洛基喃喃地念着这几个词,他曾经为了找回朋友,独自追查了许多有关战神祭的信息,此时他很快将盖亚提到的细枝末节拼凑成了一种推测:"我猜测,你能活下来,应该是因为你在战神祭上没有伤害过任何一个精灵的性命。"

　　盖亚一怔,有些不解,但又很感兴趣地问道:"怎么说?"

　　洛基抬起自己的手臂,将手臂上的芯片展示给盖亚看,只见上面显示的数字是 006。他略带自嘲地说道:"这个数字显示了我在战神祭上的排名,同样的,这也表示我的手上沾满了许多精灵的血。每一次战斗胜利之后,失败者身上的一部分力量就会被这芯片引导着融入我的体内。所以,随着战神祭的推进,我会变得越来越强。"说到这里,他似笑非笑地盯着盖亚道:"现在再打一架的话,你恐怕就不是我的对手了!"

　　"那又如何,"盖亚毫不在意,"不属于我的力量,我不需要。"

　　洛基沉默了一会儿,轻声道:"……所以,你的豁达和信念,是我永远都比不上的。"他顿了顿,又认真地说:"其实和力量一起融入我体内的,还有憎恨。一开始我并没有怎么在意,但是随着我的名次越来越高,我时不时地就会变得冷酷和暴虐,尤其是最后的几场战斗,我……"他的脸色很难看,有些说不下去了,随之话锋一转,"总之,你说得对,不是自己的力量,就不应该要!"

"这和光幕又有什么关系?"

"根据你的描述,那层光幕应该能够无限放大精灵内心的恶念和杀意,战神祭上的所有精灵,只要曾经杀害过别的精灵,都会吸收到一部分的恶念,这种恶念被光幕无限膨胀以后,会吞噬掉精灵的神智,这么一来,就只有发狂致死一种结局。至于你……"洛基看着盖亚,似笑非笑,"不知道是不是该说你运气好,自从到了贝加塔星后,你就没有杀伤过任何一个精灵,所以才能控制心底的阴暗面。再加上,你本身又是一个信念坚定的精灵,心中的恶念和杀意自然更容易克制。"

盖亚恍然大悟,喃喃道:"原来如此……"

"是啊。"洛基感慨地说道,"一旦卷入战神祭,无论是有意还是无意,几乎都不可能避开争斗,也就不可能避免被恶念侵入。所以,哪怕有精灵跟你一样傻,一样义无反顾地选择这条死路,也不会像你一样幸运地活下来。对了,你现在的数字是多少?我记得和你分开的时候,你还是100。"

盖亚抬手:"进入光幕以后就变了。"

"000?"洛基惊讶道,"你果然没有被计算在前十之内。"

正如盖亚所说,当他来到这里后,手臂上的数字就发生了变化。战神祭上一共有100位王者精灵,只有前10名能够站在祭台上,而"000"的数字显然不在之前的排名之内。

洛基叹了口气,不禁为盖亚担心:"也不知道你这样是福是祸。"

盖亚无所谓地说道:"反正我们都是任人摆布的傀儡,谁也不知道接下来是死是活,想那么多干什么呢。"

洛基苦笑着说道:"……你说得对,谁也不知道接下来是死是活。话说回来,盖亚,你现在是不是愿意和我结盟了?"

"还需要结盟吗?"

"谁知道呢。"洛基耸耸肩膀说道,"接下来若是有需要,我们可以相互合作,如何?"

"好。"

盖亚爽快地答应了,抬起手掌与他重重一击。

说话间,第十一个精灵也已经到了,与此同时,笼罩在祭台四周的能量罩也随之消失。精灵们全都紧张了起来,面面相觑间,大家忽然注意到,他们之中似乎多了一个精灵。从参加战神祭开始,他们就知道只有十个胜利者能够站在这里,可

是,为什么会有十一个精灵?

环顾了一周后,大家不约而同地把目光投到了盖亚的身上,盖亚手臂上的数字实在太特别了。

"看来你是被盯上了。"洛基低声说道,"一会儿如果有战斗,他们最先要对付的肯定是你。到时候可别坚持你的破信念,白白等着送死!说起来我现在后悔和你结盟了。"

盖亚轻哼一声,毫不示弱地说道:"我只是不喜欢任人操纵,但要是有人惹毛我,我也不会任打不还手的。"

祭台就在眼前,这个时候实在不适合再起争执,几个精灵没再理会盖亚,紧紧地注视着祭台,一时间,谁也没有率先踏出一步。

四周一阵静寂,没过多久,盖亚走了出去,头也不回地踏上了台阶。

他是那么坚定和义无反顾,洛基想拦却没能拦下,只能无奈地摇摇头。毕竟谁也不知道接下来会遇到什么,由着别人先探路才更加保险。盖亚因为性格直率,一向顾虑不多,而更重要的是,他与其他精灵不同,他并不是经历了厮杀才站在这里的,他毫不在意战神祭的胜负,因此他能够更坦率地面对未知的危险。

　　很快,盖亚就已经走上了十来级台阶,见并没有异样发生,其他精灵也陆续行动起来。没多久,就有几个精灵超过了盖亚。洛基这时也走到了盖亚身侧,随意地问道:"怎么,不追上去?"

　　"不用。反正只要走到祭台就可以了,谁先谁后又有什么关系。"

　　"说的也是……"

　　两个精灵有一搭没一搭地说着话,随着时间的推移,他们明显能够感觉到前方的阻力越来越大。渐渐地,每走上一步仿佛都要用尽全身的力气,洛基还能勉强支撑,盖亚的速度却越来越慢,没多久,就已经落后别的精灵一大截。

　　的确,在这里,几乎所有的精灵都比盖亚能力更强,支撑的时间更久。

　　洛基仔细地观察着其他精灵,目光越来越沉重,他轻轻说道:"应该是实力的差别。实力越强大的,越能够抵挡住前面的阻力,相反,就会落到后面。盖亚……本来你应该挺强的,可惜,你错过了夺取其他精灵能量的机会,反而变成这里最弱的一个。你后悔吗?"

　　"真啰唆!"盖亚有些吃力地说道,"你先走吧。"

"用不着。"洛基耸耸肩说道,"傻子才会把自己的实力暴露出来。"说话的同时,他的目光一直注视着前方,似乎正在判断其他的精灵的实力。

盖亚没有再说话,他的双脚好像吊着万吨巨石,每往上一步都无比艰难。

盖亚抬头望着前方高高的阶梯,明明只有几十级了,却仿佛看不到尽头。

还有六十级。

五十级。

四十五级。

三十级……

盖亚大汗淋漓,呼吸也越来越沉重。突然,他的脚一软,身体不由往前倾了下来。

洛基一把抓住了他的手臂:"你还好吧?"

"没事……"

盖亚挺直背,清明的目光看不到丝毫的沮丧和失落。

洛基注视了他一会儿,微微垂下眼帘,忽而说道:"我不想落得太远,我先走了。"说完,他头也不回地向前奔去。

盖亚望着他的背影,又一次抬起了脚。

　　他没有后悔,哪怕重来一次,他也不会选择通过杀戮来获得实力。

　　还有二十三级,就快到了,他不会输的!

QUANTUM
HEROES

★ ★ ★

CHAPTER 07

坍塌的信念

TAN TA DE XIN NIAN

突然间，一个身影闯入盖亚的眼帘，熟悉的眼眸、熟悉的身形……
对方的一切都与自己一模一样，看着他就仿佛是在照镜子一般。

第七章

　　盖亚踏上了最后一个台阶,随后直接瘫倒在地。

　　他是最晚到达的精灵,其他十个精灵早已站在祭台上纷纷看向他,他们目光中有探究,有不屑,还有嘲讽。不过这么一来,他们对盖亚的戒备也少了许多,试想一下,一个实力如此弱小的精灵,又能对他们构成什么威胁呢?

　　洛基走到盖亚身边,没有说话,也没有伸手,只是沉默地站着。

　　盖亚抬头冲他笑了笑,慢慢站了起来,明明这样的狼狈,明明已经精疲力竭,他依然骄傲自信,就好像他才是那个第一个到达祭台的精灵。

　　十一个精灵已经全都站在了祭台之上,他们耐心地等待着最后的时刻。

　　等待的时间显得有些漫长,谁也没有开口说话,甚至连呼吸都轻了许多。这时,天空响起了一阵轰鸣声,似近似远,紧跟着一个充满威严的声音涌入了在场十一个精灵的耳中。这个声音不知从何而来,明明并不特别大声,却震得他们的大脑嗡嗡作响。谁也没有轻举妄动，相反，大家一个个屏气凝神，静静地听着。

"……恭喜你们站在了这里，我为你们感到自豪，我们伟大的主人赫伦大帝需要你们这样的勇士……"

赫伦大帝？

盖亚目光一凛，这应该就是操纵战神祭的幕后真凶了，只是，这个赫伦大帝到底有什么意图？盖亚来不及多想，继续屏气细听。

"……战神祭赐予了你们力量，你们中的每一个都远比初到贝加塔星时更加强大，这是赫伦陛下对你们的奖赏。从现在起，你们还有一个变强的机会，而这一次，你们更会得到意想不到的力量！毫无疑问，你们将会成为宇宙的至强者！"

慷慨激昂的声音在他们耳边回荡，在场的精灵们不禁都有些激动起来。任何精灵都想要变强，而这些在各个星系早已攀上实力巅峰的王者精灵们更是如此。哪怕是盖亚也不能否认自己对力量的渴望，只是盖亚想要的是能牢牢握在自己手中的力量！

"……而你们，现在唯一需要完成的任务就是……杀死你们的本体！"

什么?!

所有的精灵全都惊疑不已。

本体?

本体是什么?

这到底是怎么回事?

他们不禁面面相觑,一种不祥的预感如同浓郁的黑雾,弥漫在他们的心头。

仿佛是觉得这个消息还不够劲爆,那个声音又幸灾乐祸地说道:"是的,你们每个精灵都只是一个复制体,是伟大的赫伦陛下把你们创造出来的!所以,你们必须对陛下献上你们的忠诚……"

那个声音还说了什么,盖亚已经完全听不下去了,"复制体"这三个字占据了他的整个脑海。他的脸色无比苍白,从灵魂深处迸发出了一种强烈的不甘。

他只是复制体?

他不是盖亚?

那、那么一直以来,他的坚持、他的信念到底是为了什么?!

为什么?

为什么?!

仿佛有一个声音在他心底不住地呐喊:我不甘心!我不甘心!

一声比一声高亢,一声比一声激昂。

盖亚从未像现在这样绝望,这样无助。

他双眼空洞,两只手不自觉地握了起来,不知不觉中,他的掌心被汗水浸湿。

"……复制体又怎么样?只要杀死本体,你们就能变得比本体更强大,你们就是真正的王者精灵!"

那个声音还在不停地煽动着在场每个精灵,话语断断续续地传入盖亚的耳中。

"去吧!回到你们的母星……毁灭本体,从此再不会有精灵知道你们是复制体。

"你们可以得到本体所有的力量,你们可以彻底取代本体,让所有的精灵崇敬你们,臣服你们,膜拜你们!

"你们只有三天时间,时限一到,你们手臂上的芯片就会启动自毁模式。

"你们存在的意义是赫伦陛下赋予的,赫伦陛下不需要废物!

"去吧,向赫伦陛下展现出你们的力量吧!"

......

盖亚慢慢地抬起头,他的眼神茫然,动作僵硬。

他不知道该何去何从,甚至也不知道活下去的意义。

盖亚能够清晰地感觉到四周的氛围变得诡异而又压抑,让他有些喘不过气来。

"可恶!"这时,一个精灵声嘶力竭地发出一声怒吼,他的身上散发着浓浓的戾气,"既然如此,那就杀吧!"说完,他往上一跃,向云空直冲而去。不知何时,天空中那阻止他们离开的能量层已经消失了。很快,他的身影就消失在了天际。

那个精灵的离去仿佛打开了一扇门,渐渐地,其他精灵也动了起来,一个个带着杀气和恨意向着星球外的宇宙奔去。

他们要回母星,杀死自己的本体!

没过多久,祭台上只剩下了盖亚一个精灵,他呆呆地看着四周,周围空荡荡的,就连洛基也已经离开了。他抬头茫然地望着天空,突然纵身跃起,向漆黑的宇宙飞去。

盖亚的脑海中一片空白,他只是在宇宙中漫无目的地往前飞行着。盖亚抬手看向了自己手臂上的芯片。这个芯片上的数字泛着一丝浅浅的红色,随着时间的推移,这抹红色会越来

越深,直到最后大限的来临,芯片就会开启自毁模式。

盖亚觉得自己一直以来所坚持的信念仿佛成了一个天大的笑话!

他狠狠地握紧了拳头,猛地提速,发泄般地向前直冲,速度越来越快,瘦削的身影在宇宙中化成了一道璀璨的流星……不知过了多久,等到盖亚回过神来的时候,他发现自己已经回到了帕诺星系,前方的赫尔卡星进入了他的视野。他低头一看,手臂上的数字又红了三分,留给他的时间不多了。

他不想死。那个声音说得对,只要本体不在了,自己就是盖亚,独一无二的盖亚!

在这个念头兴起的一瞬间,盖亚并不知道,自己的眼中闪过了一抹诡异的黑芒,转瞬即逝。

只要本体不在了,自己就是独一无二的盖亚!

这个念头如野草一般疯狂地蔓延,直到占据他整个脑海,再无其他。

他好像变成了另一个精灵,两眼睁得老大,眸中充满血丝,青筋凸起。忽然,他仰首发出一声尖啸,发疯似的冲向前方的赫尔卡星。

就让他亲手来解决掉这一切吧!

他的心仿佛被漫无边际的黑影所笼罩,黑暗冰冷,没有光明,没有希望,就连灵魂也正在渐渐坠入那无底的黑暗……

突然间,一个身影闯入盖亚的眼帘,熟悉的眼眸、熟悉的身形……对方的一切都与自己一模一样,看着他就仿佛是在照镜子一般。

是本体!

盖亚双目一瞪,仇恨与杀意随之迸发。

他不知道自己是怎么想的,总之,等回过神来的时候,他已经来到了本体跟前。他全身斗气激昂,毫不犹豫地往前击出了一掌。

压抑在心中许久的怒气混杂着磅礴的斗气,轰然向着本体而去。

本体一时间还没有反应过来,动作显得有些迟疑,而当他注意到盖亚的时候,脸上显露出明显的惊讶之情。面对来势汹汹的攻击,本体连忙侧身躲开,可惜还是慢了一步,锋利的斗气毫不留情地从他的肩膀划过。

"气合斩!"

盖亚飞身而上,双掌飞快地凌空击打着,一波又一波的斗气如同一个个小回旋镖,铺天盖地地击向本体。

"气合斩！"

盖亚再次高喝，凌厉的斗气从他的手掌中涌出。早在击出第一掌起，他的身体上就浮现出一层淡淡的黑雾，而随着攻击不断加强，这层黑雾也越来越浓重，浓稠得仿佛快要滴出水来……在这黑雾中，盖亚一脸阴霾，眼睛里充斥着一片血红。

本体扬手挥出一拳，激昂的斗气迸发而出。两股旗鼓相当的力量在半空中对撞，又轰然炸开，掀起了一阵强劲的气流，盖亚和本体都被推出数米，但紧接着，他们俩又缠斗在了一起。

只见两个黑色的残影不住地交错、分开、再交错，斗气激撞间，飘浮在四周的陨石被击得粉碎。每一次，当盖亚的攻击落到本体身上的时候，就会有一种力量从他的掌心涌入，并在极短的时间里与他自身的力量完美融合在一起。

渐渐地，盖亚的心中起了一丝贪婪，他想要获得更多的力量，他想要变得更加强大。

"你们可以得到本体所有的力量，你们可以彻底取代本体，让所有的精灵崇敬你们，臣服你们，膜拜你们！"

这个声音不住地在他脑海中盘旋，压垮了他最后一丝理智。

力量！力量！力量！

盖亚身上的黑雾越发浓重,如墨一般,他的眼神中冰冷得看不到一丝情绪。他的心仿佛坠入了黑暗深渊,这似乎是在预示着他的人生没有光明、没有希望……

既然他的存在毫无意义,那么他为什么还要去坚持那些可笑的信念呢,还不如获得更多的力量,让自己变得更加强大,只有力量才是最重要的。

杀了本体,把强大的力量据为己有!

想到这里,他缓缓地抬起了手,低沉的声音从口中溢出:"石破天惊!"

盖亚将双掌虚拢置于胸前,斗气蜂拥至掌心,聚拢成珠状,紧接着,双掌猛地一推,脱掌而出的斗气直击本体的胸口。

本体飞身避开,逼向盖亚……眼看着双方的距离不过咫尺,盖亚的身形一晃,竟从原地消失了。

不对,他并不是消失,而是速度实在太快,快到眼睛几乎难以捕捉。刹那间,盖亚就出现在了本体的身后,随即便是重重一掌。

本体躲闪不及,在那一掌重击下,倒飞着摔了出去。

盖亚并没有因此收手,急步逼近,手一扬,卡住了对方的脖子,把他推向了身后的一块陨石。

　　巨力下,小山般的陨石顿时开裂,表面的裂隙向着四面八方延伸,就如同蜘蛛网一样。盖亚恶狠狠地瞪着本体,紧握的拳头高高地举了起来。

　　"去死吧!"

　　盖亚的口中吐出阴冷的低喃,铿锵有力。

QUANTUM HEROES

★★★

CHAPTER 08

独一无二

DU　YI　WU　ER

发出声音的是一只兽形精灵,他怒目圆睁,鲜红的瞳孔令人不寒而栗。
他仰天大吼,身体随之膨胀,青筋暴起,看起来十分恐怖。

第八章

盖亚的拳头高高举至头顶，拳头上笼罩着强劲的斗气，他深信只要自己这一拳落下，就能终结一切。但是，他的拳头仿佛有千斤重，怎么也落不下去。

"呜——"

盖亚发出一阵痛苦的呻吟，他的头很痛，抑制不住的痛，有一种预感仿佛在告诉他，一旦他真的挥下这一拳，一定会后悔。

为什么会后悔？为什么……

盖亚的身体不住地颤抖，那是一种打从心底涌起的恐惧。

他觉得自己冥冥之中仿佛被什么东西控制着，和最初突破那层血色光幕时的感受如出一辙。

对了！

血色光幕！

在突破血色光幕的时候，自己似乎也像现在这样控制不住情绪的变化，也像现在这样，被无穷无尽的杀意所摆布！

混沌的头脑在这一刻忽然稍稍清醒了一些，盖亚隐隐感

觉到了这一切混乱中隐藏着某种微妙的不妥。

他真的只是复制体？

这个正被自己牢牢控制着的精灵才是本体，才是真正的盖亚？

为什么自己竟然会对一个陌生声音的一面之词深信不疑，而且从一开始就没有丝毫的怀疑。这不正常，这绝对不正常！

盖亚的头更痛了，他不由得放开了制住对方的左手，痛苦地抱住了自己的头。

只要一有怀疑，头就会痛，这是不是表示自己的怀疑并没有错？

一旦开始怀疑，盖亚心中的烦躁就略微减少了一些。他强忍着头痛，慢慢地抬起头，眼中的黑芒少了一些，他的眼睛也显得清明了一点。

仔细回想起来，好像哪里都不对劲：一方面，自己毫无理由地对那个声音所说的"复制体"言论毫不怀疑；另一方面，自己完全想不起来究竟是怎么回到帕诺星系的，就仿佛一回过神来，就已经站在了这里。而且，这个精灵真的是所谓的"本体"吗？

　　盖亚看着那个昏倒在陨石上、与自己一模一样的精灵,尽管他们拥有相同的容貌,相同的战斗风格,甚至对方的能量能够和自己完美融合,可是……这个精灵真的是"盖亚"吗?盖亚在他的身上看不到一丝属于"盖亚"的傲气和孤注一掷的战斗力,相反,这个精灵处处显得迟疑不决,甚至有些优柔寡断。

　　这些细微的异样,盖亚起初并没有留意,然而现在,他对眼前这个所谓的"本体"变得越发怀疑……

　　"呜——"

　　盖亚又捂住了头,他的头痛更严重了,就好像有一把尖锐的小刀在他大脑里一刀刀地剐着,让他无法思考。

　　"可恶……"盖亚痛苦地轻声低喃,但是他的眼神却越来越清明,一直笼罩在他身上的黑雾也随之减淡了几分。

　　这时,那个昏迷中的本体猛地睁开了眼睛,掌心向上,将蓄藏已久的能量击向盖亚。

　　正被头疼折磨得痛不欲生的盖亚一时间没有留意,被对方一掌击中了胸口。盖亚闷哼一声,倒飞了出去,他条件反射般地想要举手反击,却突然想到了什么,生生收回了攻势。盖亚被摔出几米远,落在了另一块陨石上。盖亚的胸口生生地痛,他抬起头看着那个正走向自己的本体,脸上浮现出一丝笑容。

　　盖亚似乎有了新的发现。在刚刚被本体攻击时,他惊觉自己体内的力量却并没有流失,而自己攻击本体时,却会获得巨大的能量,这让盖亚不禁想起了战神祭上的战斗法则:一旦击败对手,就能够获得对手的一部分力量,这和现在的情形,何其相似!

　　难道他一直都还在战神祭中没有脱离?

　　难道这一切都是不真实的?!

　　盖亚突然轻轻地笑了起来,笑声渐响,又变为一声仰天长啸,豪气万丈。

　　"开什么玩笑!我才不是复制体,我就是盖亚!我是唯一的盖亚!不管你是谁,不管你隐藏在哪里,休想要控制我!"

　　这时,盖亚身上的黑雾已经完全消散,他矫健地一跃而起,那种与生俱来的骄傲与自信展露无遗。

　　黑暗在眼前一闪而过,下一瞬间,他只觉身体一沉,待睁开眼睛时,发现自己依然站立在那座祭台之上。他微一愣神,下意识向四周看去,就见那些精灵们也都同样站在祭台上,他们紧闭双眼,大汗淋漓,身体不住地颤抖,一层浓重的黑气在他们身上缭绕。

　　黑气带给盖亚一种阴冷刺骨的感觉,让他本能地想要远

离。

盖亚抬起手，看着自己的手掌，随后又慢慢虚握。

刚刚的这一切，果然是幻境，从踏上这个祭台的第一秒起，他们就被这噩梦般的幻境所控制。当所有的王者精灵听说自己只是复制体的时候，绝望浇灭了他们心中所有的期望和光明。他们堕入了黑暗的深渊之中，越陷越深，直到再也爬不起来。

盖亚不知道那个所谓的本体究竟是什么，但却清楚地知道，一旦自己动手杀了他，恐怕将永远也无法脱离深渊。

盖亚叹了口气，没有时间容他多想了，他快步奔到洛基面前，大声呼唤起来。

正如他所料，洛基并没有任何回应。只见洛基表情痛苦，仿佛随时都会倒下。

"洛基！"

盖亚继续高喊，他试图将双手搭在洛基的肩膀上，可是，却被一种看不见的力量猛地震开。

盖亚闷咳两声，又站了起来，他看着洛基，看着周围的精灵，心知不能任由他们这样沉沦于幻境，沉沦于谎言之中。

盖亚双手虚握成拳，全身斗气涌动，声音低沉地喝道："气

合斩!"

激昂的斗气在盖亚的掌心迸发,在空中呼啸着,重重地击向洛基。

洛基没有闪躲,这时的他,恐怕连危险都已经察觉不到了。

斗气毫无保留地击中了洛基的胸口,这一记,盖亚几乎毫无保留,强大的冲劲把洛基猛地掀飞了出去。盖亚足尖一点,飞身跃起,落在洛基身侧,又向他击出一拳。

砰!

洛基吐出了一口血,微微睁开了紧闭多时的双目。还不等盖亚欣喜,他就惊愕地发现,洛基的双眸中透出的是一片血光。

盖亚心中一凛,脱口而出道:"洛基!"

难道,没有办法阻止吗?

难道,只能眼睁睁地看着他们在幻境中沉沦,再也无法挣脱?

盖亚不甘心!他不甘心!

"洛基!"盖亚大吼道,"你忘记之前跟我说过什么吗?你说你要活着回到你的母星!你说一旦失去王者精灵,你所守护的星系就会渐渐衰败!你说你无论如何都要活着离开战神祭,哪

怕抛弃尊严与信念!"

"洛基,你想就这样放弃吗?你想沦为傀儡吗?"

"洛基,你给我醒过来!"

"洛基,你这个胆小鬼!"

盖亚的情绪早已被这种种遭遇折磨得快要失控了，他一边近乎发泄地大吼，一边冲向洛基。萦绕在洛基身上的黑气依然阻碍着他靠近，但盖亚毫不在意，他动作极快地抓住洛基的肩膀，挥起一拳打在他的下巴上。

洛基又一次摔飞出去，发出一声似有若无的呻吟。

盖亚的攻击突然停了下来，他脸上泛起一丝喜色，试探地叫道:"洛基?"

"唔……"洛基虚弱地说道,"我好歹救过你一命,不用这么下死手打吧?"

"洛基!"盖亚惊喜道,"你……"

"……在你骂我是胆小鬼的时候我就醒过来了。"洛基捂着胸口,用剑撑地缓缓站了起来,脸上露出了后怕的神色,"差一点就真的完蛋了。咳咳咳……没想到居然是幻境,这到底是想要干什么?!"

盖亚猜测道:"应该是为了控制我们。"

"那个所谓的本体到底是什么?"

"应该是我们的善念吧。"盖亚毫不犹豫地开口道,"身处幻境之时,我几乎被戾气和杀念控制,只想要破坏和毁灭一切。我们的本体,既然能够吸引能量,那应该是身体或意识的一部分,和杀气与怨念相反的,也只有善念了,心底深处最最纯粹的善念……"说到这里,他有些心事重重:"所以,才会那么优柔寡断吧。"

洛基仔细回味着他的话,叹了口气说道:"……他们的意图是让我们亲手毁掉自己的善念,然后彻底被黑暗吞没,成为傀儡。盖亚,你真是幸运……"

盖亚没有说话,他对之前的经历依然心有余悸。

正如洛基所说,他的运气确实不错,从战神祭开始,他就一直避免和其他精灵自相残杀,也正是因为这样,他几乎没有吸收恶念,更因为这样,他才能够在千钧一发之际,守住自己的本心,脱离幻境,否则后果简直不堪设想。

洛基神色凝重地拍拍盖亚的肩膀,说道:"我们一定要活下去……"

活下去,一定要活下去,活着离开这里!

盖亚郑重地点点头,他是不会放弃的。

"先去看看能不能把别的精灵唤醒吧。"盖亚说道,"单靠我们两个,恐怕很难有所突破。"

"你说的没错。"洛基赞同道,"我们……"

"嗷!"

这时,远处传来一声尖锐的嘶吼,两个精灵同时循声看去,不约而同地低呼一声:"糟糕!"

发出声音的是一只兽形精灵,他怒目圆睁,鲜红的瞳孔令人不寒而栗。他仰天大吼,身体随之膨胀,青筋暴起,看起来十分恐怖。

盖亚和洛基对视了一眼,同时后退一步,各自防备。

"你看他的前肢。"

盖亚立刻看了过去,就见那个精灵前肢上的芯片已悄然与皮肤融为一体。紧接着,他的身体表面发出了一层银光,这银光以极快的速度向四周蔓延,才不过眨眼间的工夫,他的皮肤已经覆上了一层亮眼的银色。

精灵一动不动地站在原地,就看到他的手臂上,又出现了一个新的数字:S0071。

这是什么意思?

盖亚和洛基都不明白,洛基试探性地走上前,尝试着碰了

碰那个精灵，没有任何反应。

"这是怎么回事？"

"不知道，或许是发生了异变，"洛基摇摇头，后怕地说道，"我们差一点儿也变成这样。"

盖亚顾不上多想，当机立断道："先把其他精灵唤醒再说，我们分头行动。"

"好！"

两个精灵飞快地行动了起来，他们呼喊着身边的其他精灵，然而没有得到任何回应，哪怕像盖亚刚刚那样用上了拳头，也没有用。这些精灵已经深深地陷在了幻境中，难以自拔。而就在这短短的几分钟里，又连续有三个精灵出现了异状。

盖亚和洛基不禁有些绝望，但很快，盖亚又提起了精神，他握住拳头，傲气十足地说道："幻境不会无缘无故产生，一定是这座祭台在搞鬼！"他冷哼一声："既然叫不醒他们，干脆就让这个源头彻底消失好了！"

这种简单而又粗暴的方法让洛基不由一怔，随之便赞同地点点头。

盖亚双手握拳，压得关节"咯咯"直响。

"不灭斗气！"

QUANTUM HEROES

　　盖亚一声低喝,无尽的紫黑色斗气从他的身体里迸发而出,浓郁深沉的斗气萦绕在他的身上,犹如战神,傲气迫人。

　　盖亚足尖微点,纵身跃起,他的拳头上能量暴涨,随着重重一记挥拳,蓬勃的力量如陨石一般轰然落下,与此同时,洛基也扬起了手中的重剑。

　　洛基的剑上亮起柔和的白光,剑光冲天,笔直得没有一丝弧度,就像用尺子画出来一般。剑光越来越多,纵横交错,仿佛把空间也切割得四分五裂。

　　剑气与拳劲融为一体,同时击在了祭台上。一股令人战栗的气息瞬间弥漫而开,天空也在刹那间被映衬得刺眼夺目。

　　轰!

　　震耳欲聋的声音轰然响起,祭台一阵剧烈晃动,如同发生了一场大地震。

　　一条裂缝在祭台的表面悄然出现,向着四面八方扩散。

　　祭台平整的表面上出现了无数蜘蛛网状的裂缝,仿佛随时都会彻底崩碎,但还没等盖亚他们反应过来,裂隙就以眼睛无法捕捉的速度消失了。震动随之停了下来,祭台依然稳稳地矗立在原地。

QUANTUM HEROES

★☆★

CHAPTER 09

为了友情

WEI　　LE　　YOU　　QING

在四散的光芒中,斯维拉的骸骨缓缓地上升至半空,
与此同时,他的身形竟然慢慢浮现了出来。

第九章

呼!呼!

盖亚和洛基站在祭台上,大声喘着气,刚刚那一击,几乎用掉了他们所有的能量。

他们的行为不但没能摧毁祭台,甚至也没能阻止精灵们的异变反应。这些异变的精灵依然深陷幻境,静静地站立在原地。

"至少有一点可以肯定,"洛基苦中作乐地安慰自己,"那个幕后主使不在这里,不然,他肯定会想办法阻止我们。甚至我猜他并不关心这里的一切,我们只不过是他手中的玩具而已。"

盖亚不甘心,他咬牙道:"再来!"

呜——

突然,一个轻微的呻吟声响起,这声音让盖亚和洛基同时一惊,循声望去。

只见一个精灵蜷缩着身体,脸上露出痛苦的神情。

盖亚和洛基顿时大喜,连忙跑了过去,后者小心地问道:

"你还好吧?"

那是一个鸟形的飞行系精灵,身上长着华美的羽毛,尾巴上的长翎透着迷人的光晕。在洛基的呼唤下,她缓慢地抬起头,有些茫然地望着他们。

"我是洛基,他是盖亚。你叫什么?"

"……米娅。"米娅虚弱地环顾四周,"我这是在……"

"战神祭的祭台。"洛基说道,"你应该刚经历了一场幻境,幸好你及时醒了过来。"

"幻境?"

洛基点头,肯定地回答道:"是幻境!"说完,他又飞快地把之前发生的一切向米娅解释了一遍:"……总之,你能醒过来是运气好,不然就变得和那些家伙们一样了。"

米娅看了一眼那些异变精灵,很明显地松了口气,随即又把目光投向了还在幻境中痛苦挣扎的精灵。当看到其中一个人形精灵时,米娅漂亮的眼睛湿润了。她强忍着泪水问道:"他们都没救了吗?"

"不知道。"洛基心情低落地说道,"我也希望还能有转圜的余地,只是现在看来,很难。我们试了很久都没能唤醒他们……你能清醒过来已经是奇迹了。"

"或许是因为我是精神系精灵吧。"米娅叹了口气,"我对幻境这类的精神系攻击原本就有比较强的免疫能力,再加上外力的刺激……"她定了定神,认真地说道:"我们现在要做什么?"

"我们……"

洛基的话被一阵轰隆巨响打断。

天空中,一个巨大的黑影投了下来,笼罩在祭台的每一个角落。盖亚他们识别不出这个黑影是什么,却打从心底涌起一阵恐惧。

盖亚顿感不妙,他立刻做好了防御的准备。

"叛逃者,杀!"

黑影发出一阵肃杀声,六个泛着银色光泽的精灵如同上了发条似的,一下子动了起来,同时向着盖亚、洛基和米娅扑了过来。这些异变精灵各个杀气腾腾,每一招都好像要置他们于死地。

盖亚和洛基合作已久,彼此之间多少也有些默契。他们对视一眼,相继后退,盖亚口中高喝:"破元闪!"浓厚的能量在他掌心中涌动,以破竹之势击向敌人。可是,为首的那个精灵只是微微动了动嘴,就把他的攻击给吞了下去。

盖亚纵身上前，双掌快若闪电般不断击出，紫黑色的光波如疾风骤雨般袭向对方，一时间，空气中出现一个小小的气旋。

两个异变精灵同时发出吼声，他们没有躲闪，而是冲着攻击最密集的区域冲了过来。

砰！

光波先后穿透他们的肩膀，却没有留下任何伤口。他们的银色皮肤仿佛能够化解攻击似的，表面只泛起了一丝淡淡的波澜。

"嗷！"

一个兽形的异变精灵向着盖亚飞扑而来，他的爪子在虚空划过，几道强烈的能量气流如回旋镖一般急冲而去。盖亚急忙躲开，没想到，气流在他面前直接拐了个弯，从背后刺入了他的身体。

砰！

能量气流在盖亚的体内爆裂，强大的冲力让盖亚站立不稳，扑倒在地。

盖亚费力地站了起来，刚刚攻击祭台的行为让他消耗了不少能量，现在他深深感到体内的能量流动有些接不上了。还未等盖亚站稳，一个飞形系异变精灵急速逼近，他疯狂地扇动

着双翼,一片片银色羽毛仿佛利刃,以肉眼难以捕捉的速度划破天空,眨眼间就已近到盖亚面前。紧接着只听"砰"的一声,四周掀起了一阵强烈的气浪,这气浪中,夹杂着丝丝如针芒般的血色。

"小心!"

洛基从旁边飞身而来,一把拉开了盖亚,血色细芒从盖亚肩膀划过。

洛基松了一口气,忙不迭说道:"我之前和这个家伙交过手,那些细芒看起来不起眼,可一旦被攻击,中枢神经就会被麻痹,至少有几分钟动弹不得,我差点就栽在他手中。总之,千万小心!"

说话间,四个异变精灵同时冲了过来。他们张开嘴,一团能量光球在口中急速形成,散发着危险的气息。

盖亚和洛基赶紧后退,然而,他们之间的距离实在太近,恐怕来不及躲闪。

"静夜咒!"

伴随着这一声响,眼前这几个异变精灵的动作突然慢了下来。紧接着,米娅从他们头顶飞过,滑翔着落到他们面前,吃力地嚷道:"快,他们太强了,我坚持不了多久。"

显然，这是米娅的技能。

盖亚和洛基不再耽搁，飞快地向后退去。

才不过一秒钟的时间，米娅就已经无法牵制住这些异变精灵。他们同时吐出能量球，四颗能量球在半空中融合，摩擦着空气，发出"嗞嗞"的声响。

能量球眨眼间已经逼近三个精灵，"轰"的一声，爆开的冲击波击中了他们的胸口，三个精灵被同时掀飞，甩出了祭台。

三个精灵向下直坠，米娅张开翅膀，稳住了下坠之势。

洛基伤得最重，刚刚那一击几乎有一半的冲力落到了他的身上，此刻，他已然失去了意识，任由身体往地面坠去。

"洛基！"

盖亚试图伸手抓住洛基，却失败了。

盖亚着急了，这样摔下去，哪怕是高级精灵，在没有能量的防护下，也一定会受到重创。盖亚顾不上多想，他强忍着身上的剧痛，拼命调动着体内近乎枯竭的能量，向下猛冲。

近了……近了！

盖亚一把抓住洛基，死死地拉住了他的手臂。

此时，他们距离地面只有十米。

盖亚向地面挥出一拳，反弹起的气浪托了他们一下，抵消

了一部分下坠的冲力，这才重重地落了下去。

天空中，六个银色的身影正快速追了过来，米娅不敢与他们缠斗，赶紧滑翔着落在盖亚面前。盖亚冲她点点头，把洛基背在背上，只说了一句"走"，便头也不回地向着血色树林奔去。

血色树林茂密的枝叶掩盖了他们的身形，但盖亚不敢有丝毫的停顿，依然拼命地向前奔跑。

"去哪里？"米娅着急地问道，"这样到处乱跑，只会消耗我们的体力……"

"闭嘴。"盖亚不耐烦地嚷了一声，"不跑难道回去战斗吗？如果能赢，我们就不会逃得那么狼狈了！"

米娅并没有生气，只是问道："但你总得告诉我要去哪儿吧？"

"你别啰唆了，跟我来就行了！"

米娅迟疑了一下，扇扇翅膀，跟在盖亚身后。过了一会儿，她还是忍不住开口问道："到了这个地步，你都没有抛弃他，你们一定是朋友吧？"

盖亚愣了愣，知道米娅口中的"他"指的是自己背后的洛基，点头道："是……我们是朋友，也是战友。"

"我在战神祭上，也有一个能托附性命的好朋友，我们一

起经历战斗走到了最后,只是……我还是没能把他救出来。"

"别懊恼了,照现在的情形,我们可能都会死在这里,只是早一点晚一点而已。"

"不是的。"米娅摇摇头,失落地说道,"他宁愿一死,都不想变成别人的傀儡。对于他来说,现在的情形肯定比死亡还要痛苦。"

盖亚沉默了一下,叹了口气道:"谁又会心甘情愿成为傀儡呢……"

两个精灵再没有说话,他们无法完全信任彼此,但在这样的危难时刻,也只能团结一致,携手抗敌,杀出血路才是上上之策。

身后时不时传来追击声,急迫的形势容不得他们有半点耽搁。两个精灵一边闪避着血色植物的攻击,一边头也不回地向前奔跑。

盖亚把所有的能量都集中在脚下,速度陡然提高了一倍,宛若黑色闪电一闪而过。

盖亚的目的地只有一个,就是那个贝加塔星土著精灵们所建造的地下基地!

幸运的是当盖亚他们到达目的地的时候,异变精灵还没

有追上来。他微松了一口气,向米娅招呼道:"往下跳。"说完,就毫不犹豫地纵身跃下。

米娅有些迟疑,不过在犹豫了几秒后,她还是收拢翅膀,带着一脸决绝,一跃而下。

两个精灵先后落到了地底,四周再次一片黑暗。

盖亚把背后的洛基放下,无力地靠在岩壁上,他已经精疲力竭到不想动弹了。

米娅一边适应着黑暗,一边开口问道:"这是哪儿?"

"这里……"

"唔……"

盖亚正要说话,就听到洛基发出了轻轻的呻吟声,他连忙凑了上去,问道:"你还好吧?"

洛基慢慢睁开眼睛,虚弱地说道:"这里是……"

"一个地下基地。"盖亚向他们简单地介绍了一下这个基地的情况, 又道,"暂时先在这里避避……我想至少比其他地方要安全些。总之,我们先争取时间恢复体力。"

洛基点点头,没有再多说什么,他调整着体内的能量,试图让自己更快恢复。

不知过了多久,三个精灵的力量终于恢复了七八成,只是

伤势一直还没有痊愈，好在，行动已经不受影响了。

逃过一劫的三个精灵都心有余悸，谁也没有料到事情会演变成这样。

洛基抚着额头，因为被强行从幻境中唤醒，直到现在他的脑袋还有些隐隐作痛，他问道："刚刚那个黑影就是战神祭的幕后主使吗？"

"谁知道呢。"盖亚耸耸肩膀说道，"不过，我没有从黑影身上感觉到能量的气息。"

"我也没有。"米娅插嘴道，"我还以为这只是我的错觉。"

"这么说来，黑影可能不是一个实体。"洛基思索着说道，"应该是感觉到我们在破坏祭台，所以才会出现，它打开那些异变精灵的'开关'，并且命令他们来追捕我们。所以……这算是好消息吧，在这个星球上，我们的敌人只有那几个异变精灵。"

"就算只有那几个，我们也打不过啊。"盖亚无可奈何地说道。

异变精灵经历了残酷的战神祭，从战败者的身上夺取了力量，又在幻境中杀死了自己的善念和理智，从而拥有了难以匹敌的能力。对于盖亚这样一个一直坚持善念的精灵来说，他们确实太强大。

洛基和米娅闻言,情绪也不由低落了下来,四周一片静寂,静寂得连一点微小的声响都能听到。

"不管怎么样。"盖亚站了起来,为大家打气,"至少我们还活着,只要活着就还有希望。我们说不定还得在这里多住上几天,要不要到处看看?"

洛基和米娅都是意志坚定的王者精灵,他们很快就收敛起了心中的绝望,同时应道:"好。"

"从这条甬道进去……"

盖亚在前面领路,三个精灵先后走进了甬道,在走过长长的一段路后,他们便来到了那块宽敞的空地。

只见四周岩壁上的苔藓散发着微弱的白光,映照着地上的骸骨,显得触目惊心。

洛基不由叹息道:"他们是这个星球的主人,却被赶到了这种地方,惶惶不安地迈向死亡。"

盖亚沉默着点点头。

贝加塔星已经再也没有土著精灵了,这颗星球很快就会成为一颗死星,泯灭在宇宙漫漫的历史长河中。

咦?

盖亚突然想起了斯维拉在留言中提到的"希望的种子",

那到底是什么呢?盖亚越想越不对劲,惊觉自己好像忽略了什么。

注意到盖亚很久没有出声,洛基不由问道:"怎么了?"

"我在想一件事。"盖亚毫无隐瞒地把那段斯维拉的留言告诉了他们, 又思索着说道,"其实那颗种子是什么倒也不重要,重要的是,斯维拉他们怎么能够肯定这颗种子能够留存下来?说难听些,只要战神祭还在继续,哪怕贝加塔星还有精灵存续,也只有等死一条路而已。除非……"

米娅眼睛一亮,接口道:"除非斯维拉他们知道终结战神祭的方法?"她的声音中带着一丝兴奋。

"只是这样猜测而已……"

"不,"洛基摇摇头,像是在为自己打气一般,"这不是猜测,这绝对有可能!我们一定有机会活下去的,一定!"他的神色一反刚刚的溃散,显得神采奕奕。

不管怎样,这都是一个机会!盖亚也不禁热血沸腾:"斯维拉能留下那条信息,说不定也能留下别的。我们到处找找!"

"对。"

三个精灵分头寻找起来, 这个往昔为了庇护精灵们而建造的基地,现在就像是一个巨大的坟墓,连四周的空气都是冰

冷的，让人打从心底涌起一阵悲凉。

　　他们仔细地搜索着每一个角落，就连岩石缝也不放过。活着回到母星是支撑他们继续下去的唯一信念。盖亚又一次回到了斯维拉的身旁，这已经是第四次了。他看着斯维拉的骸骨，叹了口气自言自语地说道："你到底留下了什么呢……"他蹲下身，小心地想要翻动一下斯维拉的骸骨，看有没有留下别的东西，而就在他的手触碰到骸骨的一瞬间，骸骨竟泛起了一丝微弱的白光。

　　盖亚一惊，忙收回手，喊道："洛基、米娅，你们过来看！"

　　洛基和米娅连忙奔了过来，惊诧地张大了嘴。

　　在四散的光芒中，斯维拉的骸骨缓缓地上升至半空，与此同时，他的身形竟然慢慢浮现了出来。

QUANTUM HEROES

★

CHAPTER 10

希望的种子

XI WANG DE ZHONG ZI

出现在光芒中的是一个兽形精灵，他通体绿色，如宝石般晶莹剔透，
体态肖似一匹骏马，金色的眼睛透着骄傲与不屈。

第十章

　　出现在光芒中的是一个兽形精灵，他通体绿色，如宝石般晶莹剔透，体态肖似一匹骏马，金色的眼睛透着骄傲与不屈。只可惜，他的生命已经消逝了，留在这里的，只是一些灵魂碎片组成的幻影而已。

　　"我是斯维拉，贝加塔星仅存的高级精灵。"

　　盖亚和洛基的耳畔响起了一个声音，这声音透着一种朦胧虚幻之感，在这个地下空间里不住地回荡着。

　　盖亚和洛基看了看彼此，心中不免有些惊讶。

　　"你们是战神祭的参战者吗？"

　　"不是！"盖亚斩钉截铁地说道，"但我们被迫卷入到战神祭之中，无路可走。"

　　米娅不由得看了他一眼，脸上露出惊讶的神色。

　　"你们唤醒了我，代表了你们心中依然存有善念，我相信你们。我的朋友，请帮帮我们贝加塔星吧，我们不想再遭受无休无止的折磨了。"

　　斯维拉的声音充满了悲怆，盖亚和洛基不由得心中一酸。

盖亚收敛心神,问道:"那我们能做什么呢?"

"请求你们,替我们守护住贝加塔星最后的希望,作为交换,我可以告诉你们脱离战神祭的办法。"

猜对了!

三个精灵闻言不由得大喜,盖亚向前踏出一步,宣誓般坚定地说道:"我答应你,我会为贝加塔星守住这最后的希望,只要我还活着!"

斯维拉偏了偏头,似乎是在探究盖亚说这番话的诚意,过了一会儿,他才说道:"脱离战神祭的方法只有一个,就是毁掉祭台。一旦毁掉了祭台,战神祭就会终止。"

"可是,以我们的力量根本不可能……"

"这一切都需要从战神祭的起源说起。"斯维拉打断了他的话,"事实上,贝加塔星是赫伦大帝的实验基地之一。"

"赫伦大帝?"又一次听到了这个名字,盖亚终于有机会问了,"他到底是谁?"

"赫伦大帝是我们科兰达星系唯一的主宰。科兰达星系科技发达,早在上千年前,就已经大量使用机械傀儡来为我们服务。渐渐地,我们连控制机械傀儡都觉得麻烦。于是,作为机械傀儡首脑的赫伦被创造了出来。但是谁也没有想到,这成为了

121

科兰达星系毁灭的开始……几百年前，赫伦突然摆脱了精灵的控制，自称赫伦大帝，带领机械傀儡发动叛变，掌控了科兰达星系，进而逐步控制了周围的几个星系。"

斯维拉长叹了一口气，又道："单单依靠机械傀儡是无法实现赫伦大帝称霸宇宙的欲望的。于是，他选择了几颗星球作为实验基地，用来'制造'和'选拔'银色护卫，这些银色护卫才是赫伦大帝手下最得力的干将。战神祭作为挑选银色护卫的最佳形式，将来自各个星系的王者精灵们集结到贝加塔星，通过激烈的厮杀亲手斩断自己的善念，最终异变为银色护卫。至于为什么会产生这样的异变，我们猜测是赫伦大帝用了某种特殊的能力……"

"银色护卫?那我的朋友难道也……"米娅惊慌地追问道，"有没有办法解救他们?"

斯维拉没有回答，而是继续自言自语："我们曾经对抗过战神祭，对抗过那些被迫卷入战神祭的王者精灵，我们也曾经破坏过祭台，可我们还是无法重新夺回母星……我们已经失去了一切。"

斯维拉的声音越来越低沉，他强忍着悲伤说道："在数百年的抗争中，我们失去了大量的勇士，失去了母星，可我们也

发现了一个秘密,关于这座祭台的秘密!"

三个精灵没有打断他,而是聚精会神地默默听着。

"根据我们的猜测,祭台其实是一个巨型的能量传送器和增幅器。"斯维拉说道,"赫伦大帝应该是拥有了某种特殊的能力让王者精灵异变为银色护卫,但他并不常住贝加塔星,因此,他必然需要通过某种形式把自己的力量传送过来,输送给这些王者精灵,贝加塔星上的祭台就是传送力量的载体……"

洛基思索道:"所以,要破坏祭台的方法就是切断它和赫伦大帝的联系?可我们要怎么做?"

"屏蔽。"斯维拉说道,"用强大的精神力屏蔽赫伦大帝发送的电磁波,再趁机毁掉祭台。"

盖亚们对精神力并不陌生,它与精灵的意志力息息相关。没有想到,这种内心深处的神秘力量竟然决定了这颗星球的命运。

此时,米娅突然打破了静默,有些着急地问道:"那些异变的精灵,还有机会复原吗?"

"可能有吧……"斯维拉像是用尽了所有的力气,声音渐渐弱了下来,"只要战神祭还未结束,异变就不会成功,只要能够中止这一切,他们还是有机会复原的……我能为你们做的

只有这些了。贝加塔星的希望就托付给你们了，希望你们言而有信……"

盖亚坚定地说道："我盖亚绝对会遵守诺言的！"

"他们就在那里……我身后那片苔藓的泥土之下，那是我们贝加塔星唯一的希望……愿我的母星永远和平……"

斯维拉为了能够守护贝加塔星最后的希望，自行禁锢灵魂，在这里痛苦地守候了百年。现在，他终于能够解脱了……

只听他的声音越来越轻，身形也随之变淡，很快就彻底消逝在空气之中。四周久久回荡着斯维拉的声音，凄凉而又悲伤。

盖亚走到了斯维拉的身后，小心地拨开茂密的苔藓，两颗泛着五彩光芒的蛋露了出来。虽然这两颗蛋只有拳头大小，但盖亚能清晰地感觉到它们所散发的强劲的生命力。

他们就是贝加塔星最后的精灵了。

盖亚小心地把这两颗蛋放回原处，对身后的洛基和米娅说道："我们三个，无论最后谁活下来，都要把它们带回自己的母星。等科兰达星系重归平静，再把它们送回到这里。"

洛基和米娅郑重地点点头，他们一定会信守承诺的。

"走吧，"盖亚站了起来，"最后的时刻来临了！"

三个精灵顺着来的路回到了地面，此时已是深夜，银色的

月光洒在血红色的树林中，透着一股诡异的气息。前路仿佛已经被血色笼罩，没有光明，没有希望。

盖亚收敛起心神，为自己打气一般大声喝道："我们走！"

三个精灵闪避着树木的攻击，在血色树林中如三道闪电般飞奔，他们现在的身体状态已经恢复得七七八八，速度也比来的时候快了不少，没过多久，他们就穿过了树林。看着那座被黑影笼罩的祭台，每个人的心中都不免起了一丝寒意。

然而，他们没有退路！

"我来吧。"这时，米娅突然开口说道，"由我来屏蔽赫伦大帝和祭台之间的联系，你们两个负责攻击。"见洛基和盖亚一脸疑惑地望着自己，她轻笑一声道："你们忘了吗？我是精神系精灵，和你们不一样，我的力量来源就是我的精神力。"她的声音里带着一丝骄傲："单论精神力，我足可以抵得上上百个高级精灵，所以，这件事交给我就好了。"

盖亚和洛基闻言不由心喜，这实在是再好不过了！

米娅闭上眼睛，张开翅膀，五彩的羽毛流动着耀眼的光华，在月光中，如层层叠叠的波浪，不禁令人心驰神往。

光芒以她的身体为中心向外扩散，在光的沐浴下，盖亚的心情也舒缓平静下来。他长长地吸了口气，那些充斥在心中的

种种负面情绪仿佛也随之烟消云散。光芒还在不断地扩散，几乎点亮了黑暗的夜。但盖亚和洛基并没有注意到，随着时间的流逝，米娅华丽的羽毛正渐渐变得暗淡。

"可以了……"米娅的声音中透着疲惫，"我撑不了多久，你们赶快……"

盖亚和洛基对视一眼，同时一跃而起。

能量在他们的身上疯狂涌动，如同两道光柱冲天而起。

"不好！"就在这时，洛基口中发出一声惊呼，"是银色护卫！"

银色护卫——那些已经异变的精灵，正以飞快的速度向盖亚和洛基靠近。此时的米娅不能分心，也不能被打断……

"我来！"洛基说道，"我来拦住他们……其他的就交给你了！"

盖亚郑重地应了一声："明白。"

洛基点了点头，手握重剑转身飞向银色护卫，锐利的剑光仿佛能把夜空一劈两半。

刹那间，剑光冲天。

盖亚没有看向他，这一刻，他只能把身后之事托付给洛基。

这一刻，他们是生死与共的朋友！

盖亚目光无比的坚定，没有犹豫，没有彷徨。他直视着眼

前的祭台,没有半点退缩。

这一战,无论是胜是败,无论是生是死,他都要战斗下去!

斗气在盖亚体内升腾, 他那双如红宝石一般耀眼的双眸里,闪动着光华。

"石破天惊!"

盖亚大喝一声,惊人的力量仿佛冲破了所有的枷锁,从他的掌心喷涌而出。

紫黑色的拳影疯狂地搅动着气流,如雨点般击向祭台。

轰!

随着一声巨响,祭台猛地震动起来,丝丝裂纹在祭台的表面形成,向着四面八方扩散,无数的碎屑和小石头纷纷落了下来。

而另一边,独力对抗五个银色护卫的洛基已是满身伤痕,但是他没有后退一步,因为他知道,一旦后退,就意味着失败,他们就再也无法离开这里,无法回到母星。

"我不会认输的!"洛基咬紧牙关,能量如潮水般向剑中涌来。重剑颤抖着,忽地亮起妖异的红色光芒,巨大的能量化作一个红色旋涡,围绕着重剑不停旋转。洛基扬起重剑,猛地斩下,红色能量又如决堤的洪水,向着银色护卫们碾压了过去,最前面的一个银色护卫瞬间就被红色剑光吞噬。

余势未消的剑光撞上了银色护卫架起的能量罩，在震耳欲聋的巨响声中，空间仿佛都被扭曲得四分五裂。

洛基的脸色一片苍白，他虚弱得仿佛随时都会从半空中摔下去，但他依然没有后退，又一次举起重剑，面对敌人，大声喝道："来吧！我不会认输的！"

我也不会认输的！盖亚在心中大声呐喊。

他再一次挥起拳头，将速度放得很慢很慢，就好像手上吊着千斤重物。

"不灭斗气！"

盖亚将身上所有的能量全都调动到了拳头上。

"石破天惊！"

盖亚出拳的瞬间，周身泛起了一圈波纹。波纹引起的巨大能量，让天地也为之战栗。

拳头落在祭台上，先是一阵静寂……

祭台表面如蛛网般的裂缝更深了，随之发出一阵轻微的"咯咯"声。紧接着，便是"轰"的一声巨响，仿佛毁天灭地一般，巨大的祭台一瞬间如同一座崩塌的山体，在持续不断的"隆隆"声中，急速坍塌着，仿佛有什么力量把它从内而外彻底摧毁了。

成功了！

　　盖亚大喜过望，难以抑制地大声欢呼道："成功了！洛基、米娅，我们成功了……"

　　这句话仿佛用光了盖亚最后的一丝气力，他全身虚脱，笔直地从百米上空向地面坠去。盖亚看着头顶的天空，唇边浮起了一丝微笑。

　　此时，一双大手托住了他。盖亚费力地望了过去，是洛基。

　　在祭台倒塌的瞬间，那些银色护卫们好像被卸下了发条，停止了所有的动作，他们皮肤上的那层亮银色也渐渐暗淡了下来……洛基还没来得及松一口气，就注意到了盖亚的险况，立刻赶了过来。洛基的身上几乎没有一块完好的地方，无数的伤痕和鲜血让他看起来有些狰狞，但却让盖亚感到安心。他们是伙伴，不管一开始他们是因为什么原因而结盟的，在这一刻，他们是生死与共的伙伴！

　　落到地面后，盖亚和洛基都已经累得难以动弹了，但他们还记挂着另一个伙伴，忙向米娅的方向望去。而眼前的景象让他们大惊失色，米娅那身华丽的羽毛竟然变成一片雪白，失去了原有的光泽。她就像是在短短的时间里经历了千年岁月，苍老的面容和衰老的身躯预示着她的生命即将走向终结。

　　"米娅？"

洛基惊呼着奔了过去，顺便还拉上了虚弱得无力动弹的盖亚。

米娅慢慢抬起头，她的瞳孔也变成了白色。

"……我们赢了吗?"

洛基赶忙答道:"赢了!我们赢了!你这是……你怎么变成了这样?"

"我是精神系精灵,精神力就是我的生命……"米娅轻轻地说道。想要屏蔽赫伦大帝和祭台之间的联系,比她预想中的更困难,但是战斗已经开始,她也无法退却,只能拼尽全力,直到把生命力消耗殆尽……

这是命中注定的。

米娅没有后悔,也没有向洛基和盖亚解释太多,而是急切地问道:"他们呢……"

洛基愣了愣:"你是说银色护卫?"他转头望了一眼:"他们的银色皮肤已经消失了,身上的那个数字也不见了,看起来就像是睡着了一样。"

"那就好……"米娅释然道,"我的朋友,他在战神祭中救过我的命,这是我唯一能为他做的……战神祭,我真的好后悔……"米娅的声音越来越轻,慢慢地,她闭上了眼睛……

The End
尾声

"那就拜托你了。"

盖亚小心地捧着两颗彩色的蛋，郑重地把他们交到洛基的手上。

这两颗蛋正是贝加塔星的希望。

祭台尽管已经被摧毁，可是，谁也不知道它是否还会再次出现在这颗星球上。在贝加塔星彻底摆脱赫伦大帝的控制前，盖亚和洛基决定把蛋带走，等以后有机会再带着精灵们回到他们的母星。

"你真不走?"洛基看着盖亚，再一次确认道。

　　盖亚摇摇头，断然道："我不走。"他顿了顿又道："祭台被摧毁，赫伦一定会派手下来一看究竟，甚至重建祭台，我想在这里会会他们……"

　　洛基显然对盖亚的决定表示不赞同："见到了他们又怎么样？"

　　"当然是铲除这个幕后黑手！"盖亚握住拳头，"把别的精灵当作玩具一样随意摆弄，我绝对不会放过他的！而且我也想查明其他王者精灵的下落，帮你找到你的好友。总之，洛基，贝加塔星的希望就托付给你了，希望我们还有机会再见。"

　　洛基终于放弃继续说服盖亚，抬手与他重重地击了下掌，又紧紧相握。

　　"我们一定会再见的，一定！后会有期！"

　　洛基小心地捧着两颗蛋，冲上了云霄。

　　一直等到他的身影完全消失不见，盖亚才收回目光。

　　从那一天起，盖亚就在贝加塔星住了下来，没有了战神祭，这颗星球还是非常适合精灵生存的。随着时间的推移，在这次战神祭中惨遭异化的王者精灵们也逐渐清醒，他们醒来以后的第一件事就是离开贝加塔星。

　　盖亚对此表示十分理解，毕竟，对于他们来说，回到母星

才是最重要的。

但其中有一个叫迦洛的精灵却在米娅的墓前足足站立了三天,随后带着她的遗体一同离开了。他告诉盖亚,他要把米娅带回到她心心念念的母星,只有在那里,她才能够永享安宁。

大约又过了一周,贝加塔星上终于只剩下了盖亚一个精灵。

轰隆隆!

突然间,一个震耳欲聋的声音响起,正在打坐修炼的盖亚猛地一惊,赶紧站了起来。

地面剧烈地颤抖着,四周的山体开始坍塌,大大小小的碎石不住地滑落,伴随着阵阵轰鸣声,血色树林倒塌了一大片,粗壮的树木横七竖八地压下来,眼前的景象就好像末日即将来临一般。

盖亚的心中一阵惊慌,极其不祥的预感笼罩在他的心头。他顾不上多想,飞身跃起,向着大气层外飞去。

轰!

火山喷发了,黑红色的火焰瞬间蹿起了数百米,蓝色的天空被染得一片通红。

……

　　在距离贝加塔星 1800 万光年的另一颗星球上,矗立着一座宏伟的机械大殿。

　　大殿内,一个银白色的人形机械体懒洋洋地靠在王座上,他背后的一对机械羽翼正肆意向四周伸展,不经意间流露出一种华美和张扬的气质。他,正是科兰达星系唯一的王者——赫伦大帝。

　　王座的一侧站着一个火红色的兽形精灵奥萝拉,赫伦大帝的手指轻巧地滑过兽形精灵柔顺的背毛,似笑非笑地看着一块立在不远处的巨大显示屏。

　　屏幕上,张牙舞爪的冲天火焰正在吞噬一个黑白相间的人形精灵……

⑬寄生前夜 ⑭基因实验 ⑮无限领域 ⑯暗夜迷局

妈妈放心，孩子欢喜

⑰战神绝境

STORY

　　盖亚在一颗陌生的星球上醒来，他想不起自己是如何到这里的。更奇怪的是，他的手臂上被植入了一块芯片，芯片上显示一个数字：100。

　　贝加塔星球上一共只有 100 个精灵，作为"战神祭"的祭品，他们将被迫参加一个"生存游戏"，只有实力排名前十的精灵才有资格成为胜利者，才能活着离开这里，而芯片上的数字则时时反映着他们的排名。

　　盖亚崇尚力量与战斗，却不愿意为了战斗而战斗。

　　在这样一个残酷而惨烈的环境中，盖亚不得不步步为营，当他终于有机会离开贝加塔星时，才发现"战神祭"只是一个开始，他所面对的其实是一个无力承受的阴谋！

⑱黎明境界

STORY

　　布莱克、卡修斯和盖亚陆续失踪，牵挂着伙伴们的雷伊四处寻找，却没有任何消息。他的伙伴们仿佛人间蒸发了一样，消失得无影无踪。

　　黑暗不知何时侵蚀了帕诺星系，赫伦大帝妄图将它占为自己新的殖民地。雷伊奋起战斗，却发现率领机械军团先锋军的竟然是布莱克！

　　雷伊追踪布莱克来到了科兰达星系，却在半路遭到了偷袭。雷伊被抹去所有的记忆和全部情感，他被带到了一颗实验星球——迪赛尔星，在那里，所有的精灵都被定期注射一种药物，从而变成行尸走肉。而雷伊的"任务"就是看管他们，一旦他们恢复了情感，便格杀勿论！

　　然而，哪怕失去了记忆，雷伊也无法忘却烙印在灵魂深处的正义与使命。

19-20册即将上市，敬请期待！

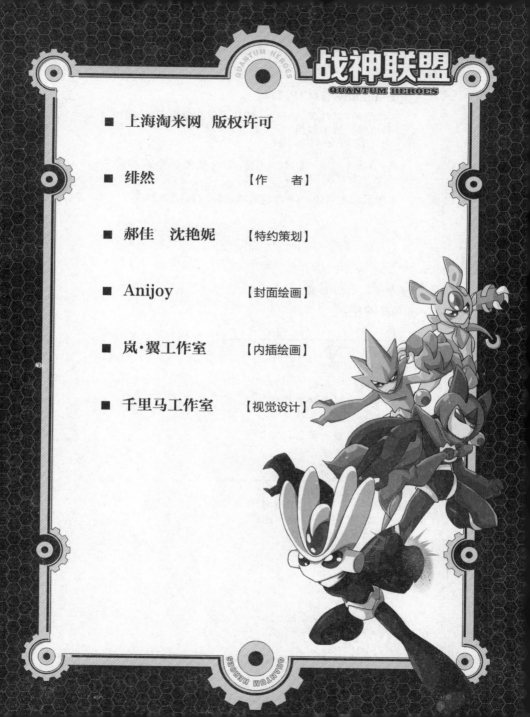

战神联盟
QUANTUM HEROES

■ 上海淘米网　版权许可

■ 绯然　　　　　　【作　　者】

■ 郝佳　沈艳妮　　【特约策划】

■ Anijoy　　　　　【封面绘画】

■ 岚·翼工作室　　　【内插绘画】

■ 千里马工作室　　　【视觉设计】

图书在版编目（CIP）数据

战神绝境/绯然著. —杭州：浙江少年儿童出版社，2016.4
（赛尔号　战神联盟；17）
ISBN 978-7-5342-9188-3

Ⅰ.①战…　Ⅱ.①绯…　Ⅲ.①儿童文学-中篇小说-中国-当代　Ⅳ.①I287.45

中国版本图书馆 CIP 数据核字（2016）第 017739 号

赛尔号　战神联盟

⑰战神绝境

绯然　著

责任编辑	王漪
特约策划	郝佳
特约编辑	沈艳妮
美术设计	千里马工作室
封面绘制	Anijoy
内插绘制	岚·翼工作室
责任校对	沈鹏
责任印制	林百乐

浙江少年儿童出版社出版发行
地址：杭州市天目山路 40 号
宁波市大港印务有限公司印刷
全国各地新华书店经销
开本 830×1220　1/32
印张 4.375　彩插 6
字数 69000
印数 1－30000
2016 年 4 月第 1 版
2016 年 4 月第 1 次印刷
ISBN 978-7-5342-9188-3
定价：15.00 元
（如有印装质量问题，影响阅读，请与承印厂联系调换）